LA PRÉFACE DU NÈGRE

DU MÊME AUTEUR

LA PRÉFACE DU NÈGRE, Barzakh, 2008 (prix Mohammed-Dib).
LE MINOTAURE 504, Sabine Wespieser éditeur, 2011.
MEURSAULT, CONTRE-ENQUÊTE, Barzakh, 2013, Actes Sud, 2014 (prix Goncourt du premier roman, prix des Cinq continents de la francophonie, prix François-Mauriac, prix Liste Goncourt / Le choix de l'Orient, prix Liste Goncourt / Le choix roumain, prix Liste Goncourt / Le choix serbe, prix des Escales littéraires d'Alger) ; Babel nº 1386.
MES INDÉPENDANCES. CHRONIQUES 2010-2016, Actes Sud / Barzakh, 2017.
ZABOR. OU LES PSAUMES, Actes Sud / Barzakh, 2017.

Le livre intitulé *La Préface du nègre* a été publié aux éditions barzakh (Alger) en 2008, il contenait les nouvelles "L'ami d'Athènes", "Gibrîl au kérosène", "La préface du nègre", "L'Arabe et le vaste pays de Ô".

"Le Minotaure 504" figurait dans l'ouvrage collectif *Alger, quand la ville dort* (barzakh, Alger, 2010) sous le titre "La transsexuelle est-ouest et le Minotaure 504".

Le recueil *Le Minotaure 504*, paru en France chez Sabine Wespieser éditeur en 2011, réunissait les textes "Le Minotaure 504", "Gibrîl au kérosène", "L'ami d'Athènes", "La préface du nègre".

KAMEL DAOUD

LA PRÉFACE DU NÈGRE

LE MINOTAURE 504

et autres nouvelles

BABEL

L'AMI D'ATHÈNES

Lorsque le starter a retenti, j'ai démarré.

J'ai démarré comme je ne l'avais jamais fait de ma vie et j'ai couru. Tête rentrée dans les épaules, pour éviter d'accrocher inutilement le vent, le corps tendu comme un élastique entre mon numéro et la haie d'arrivée, le visage comme la pierre d'une fronde de berger, lancée d'un seul geste après avoir été tournée dix mille fois, d'abord dans la tête, puis au bout du bras, et enfin vers la bouteille de plastique qui sert de cible et de proie. J'avais de mauvaises chaussures de sport usées mais auxquelles je tenais comme un paysan à ses deux chèvres, un mauvais numéro qui me rappelait vaguement un accident ou une malchance, un mauvais couloir, un mauvais peuple derrière le dos pour m'encourager mais, dès la détonation, j'ai bien couru. Comme on me l'a appris : longues foulées, bras pliés le long des côtes, tête collant son oreille sur la poitrine pour retrouver le rythme du cœur et les yeux ne suivant plus que la poulie de ma seule respiration que je devais maîtriser peu à peu.

« Comme on le faisait des chevaux », me disait mon entraîneur en me montrant, à chaque fois, et jusqu'à hier, le gros point d'arrivée en l'entourant d'un trait au feutre rouge. La cible que la main unique de mon peuple me désignait du doigt. Un moment, j'ai senti l'air chaud contre moi, les autres contre moi comme un courant de mer contraire ou un mauvais œil qui ne cillait jamais, j'ai senti le public contre moi, assis tout autour, jusqu'au ciel, dans les gradins, sur les nuages, mais surtout sur mes épaules ; j'ai senti mes pieds contre moi, mais j'ai couru, avant même de me mettre à penser.

Le stade était immense comme la création de Dieu mais les bruits y étaient encore plus gigantesques comme un océan volumineux que l'on retrouve entier dans l'oreille coupée de l'un de ses coquillages : j'y voyais toutes les couleurs possibles et toutes les folies et les choses qui vous rapetissaient jusqu'à faire de vous un grain de sable impossible à numéroter au creux des gradins géants. Les autres coureurs de fond couraient plus vite et moi je voyais devant moi les choses qui empêchent tout Algérien de courir avec ardeur dans le monde : lui-même, la certitude que cela ne sert à rien, l'évidence que ceux qui ont couru l'ont fait les premiers jours de l'Indépendance en 1962, à une époque où l'histoire ressemblait à des films de cinéma si rapides que même ceux qui n'avaient rien à faire ou n'avaient rien fait du tout semblaient courir vers une arrivée. Un film où les lois étaient si burlesques que l'on pouvait posséder une chose rien qu'en la touchant le premier, devenir l'homme le plus riche en courant plus vite que tous les autres vers le butin ou accaparer une

maison en s'y adossant avant les autres, les restes
d'un repas de colons à peine refroidis ou juste une
chemise, et voir des morts revenir après leur exécution par les colons, des gens tomber des immeubles
et se relever en se frottant les fesses et des foules
s'amasser autour d'hommes qui ne disaient rien et
ne faisaient qu'ouvrir et refermer leurs lèvres sur un
fond de musique jouée par un pianiste monotone.
Une ancienne histoire certes qui n'avait rien à voir
avec la course de ma vie, mais toutes les histoires
dans mon pays, même celles destinées aux enfants
ou celles qui expliquent les noms des villages par
les sources d'eau ou celles des meurtres inexpli-
cables, commencent par celle-ci, curieusement, à
la date du 5 juillet 1962. Nous étions encore tous
trop près de notre accouchement et donc trop près
de la mort subite. Pourtant, si j'ai couru comme un
fou ce jour-là, ce n'est pas à cause de la médaille,
ni du drapeau, ni à cause de mes entraînements, ni
parce que je voulais m'imposer à une foule qui ne
me distinguait même pas ou que j'avais avalé des
pilules interdites.

   Dans mon rythme, il y avait une mécanique qui
n'était pas uniquement mienne. J'avais mon explication qui faisait sourire, comme chacun en avait
une derrière la dernière porte à clef de sa cervelle :
quelqu'un dans la longue file de mes ancêtres a
couru ou n'arrête plus de le faire dans mon sang ou
me pousse à le faire pour terminer un périple dont je
ne suis qu'une petite étape bavarde et un morceau
qui jacasse ou le simple porteur de témoin comme
dans les courses à étapes.

Quelqu'un aussi, parmi les miens, avait dû courir à l'Indépendance pour attraper un morceau de ce qui restait de la terre, remplir son sac avec les restes d'un repas ou fuir une nuit en se cachant sous les vaches et ma vie n'est peut-être que le reste de son élan, la pierre lancée pas encore épuisée, le halètement, ou la queue de lézard qui n'arrête pas de bouger après la mort de l'animal ou le porteur de télégramme qui ne sait pas lire ce que Dieu lui a écrit sur le dos, ou le crachat voyageur ou... Je ne sais plus car, avant les premiers mille mètres, j'ai vite compris que cette piste vicieuse se détachait de la terre, se déchaussait trop facilement et m'éloignait de la course, du rythme de ma respiration et me faisait trop oublier l'importance de cette dernière compétition pour moi. Une course que je voulais parfaite, infinie, ininterrompue, et dont la seule fin possible n'était pas un ralentissement et un arrêt, mais l'annonce d'une victoire à des gens qui se croyaient défaits, ou...

C'est dire que tout était contre moi et surtout le poids de ma mémoire. J'étais un coureur de fond et tous les coureurs de fond savent qu'ils sont généralement seuls à courir mais dix mille à parler en même temps en ces moments où tout remonte à la surface, même ce qui ne vous concerne pas, la vie des autres, que vous avez juste frôlés dans un bus, les petits détails qui continuent de tinter comme des casseroles, les grandes questions qui n'ont pas de portes et les rêves qui traînent par terre.

Comme certains des autres coureurs qui venaient de pays à moitié desséchés, je ne donnais pas l'impression de courir vers l'arrivée mais de fuir ce que j'avais pu quitter dès le départ, avant le starter, avant de venir dans cette ville qui n'arrivait pas à se débarrasser de son éternité, et avant même de quitter mon village, ou le périmètre de ma mère et du puits familial. Cela se voyait à ma façon d'attendre de la foule, en cas de victoire, plus que des applaudissements et une ovation : des excuses pour tous les miens dont la vie se résumait à multiplier les hasards et les accouchements. Je courais vers l'accouchement de tous les miens, tous à la fois, dans l'explosion d'une même naissance. Cette seule idée me donnait des ailes vastes et me faisait rire de ma personne comme un prophète coincé entre l'obligation de convertir l'humanité et celle de trouver des allumettes pour chauffer son repas du soir. J'étais l'enfant d'un peuple pour qui la mémoire n'est pas une arrière-cour, un vieux coffre ou une racine comestible, mais un mauvais animal muni d'une seule narine, un trou mouvant qui vous poursuit partout, à l'odeur de sueur, un poids dont on ne peut distinguer que le maigre portefaix. Une mémoire sous la forme d'un véritable pays trompeur où rien ne pousse de ce qu'on pourrait cuire et manger, et les choses se contentent de remonter le courant jusqu'à vous faire perdre de vue la terre ferme. Il suffit de rien, d'un moment de distraction ou d'une intense réflexion sur quelques « pourquoi ? » pour que la mémoire tire le siphon, vous vide de vous-même, vous remplace par une pancarte cassée et vous transforme en spectateur de votre propre corps et de votre vie, vus de loin, à peine parents, et auxquels vous n'êtes plus lié que par un long fil comme celui des grands cerfs-volants qui ne veulent pas descendre.

Cela a failli m'arriver au début de la course, dès les premiers mille mètres. C'est la foule, dont le nombre ne cessait d'augmenter à chaque fois que je levais la tête pour la regarder, et une curieuse colère, qui m'ont ramené au réel, m'ont remis dans mes vieilles chaussures fétiches et m'ont redonné mes jambes qui justifiaient le reste de mon corps, ma vie, la vie de certains et ma présence dans cette ville qui avait un ciel à elle toute seule. Un ciel différent où beaucoup comme moi ont couru depuis des siècles, peut-être pour atteindre la même ligne d'arrivée qui coupe le souffle et fait pénétrer chez le dieu de chaque coureur : Allah, une vache, un feu, le vent ou même la première balle d'une guerre.

D'ailleurs comme tous les miens, je portais mon pays entier, ma malchance, le nom de la femme que j'allais perdre, en moi-même, dès le début. La foule ne pouvait pas comprendre : elle ne voyait qu'une piste tournant lentement mais avec exactitude autour du stade où une dizaine de coureurs essayaient chacun d'épuiser les poumons de l'autre. Il faut être un coureur de fond pour comprendre que la piste est comme la vie : elle a beau s'étendre comme un trait droit et gras entre la naissance et la mort, elle n'est jamais une ligne droite, un parcours exact, un tracé. Entre les deux points, un homme qui court droit devant lui peut connaître l'immortalité le souffle coupé, la brièveté douloureuse des moments où le temps ressemble à un piéton, et d'autres où il ressemble à un éclair, creuser des puits avec sa mélancolie ou fabriquer des choses si incroyables qu'elles resteront longtemps sans nom. Entre les deux lignes du départ et de l'enterrement, chacun peut rester assis sans bouger ou voyager indéfiniment et raconter dix mille histoires qui provoqueront dix mille autres voyages et ainsi de suite jusqu'à ce que la création devienne vraiment infinie comme Dieu l'a peut-être voulue.

En courant sur cette piste, il m'est venu une idée magique : faire le tour de la terre ne fait pas de vous un voyageur mais seulement un géomètre ou un cartographe. Et encore.

Ma piste, celle que je parcourais à bout de souffle comme si elle me menait vers un dieu vertigineux dont le ciel ne serait qu'un bout d'orteil, n'était pas elliptique, ni tout à fait droite, ni courbée à l'autre bout du stade, juste derrière les filets du gardien absent, ni un lacis entre les dizaines d'athlètes qui se chauffaient à l'huile avant de lancer leurs disques parfaits, mais un tracé particulier beaucoup plus proche des feuillages d'un arbre que d'une figure de géométrie.

Nous ne tournions pas en rond, la dizaine d'autres coureurs et moi, mais foncions chacun dans le périmètre de son pays, vers le même but confus avec le même tintamarre de souvenirs, d'animaux invisibles, de lièvres inconnus et d'ancêtres exigeants. Je l'ai vu sur les visages des autres coureurs qui promenaient chacun un drapeau sur le torse mais qui regardaient droit devant eux, un peu courbés vers le sol, autre chose que le sol rouge, le tracé de leur couloir ou leur numéro : la piste du même animal magique et son odeur qui persistait depuis leur enfance. Chacun brandissant l'arme fétiche de son peuple, qui une lance, qui un javelot, qui un lance-pierre. Ils avaient pour épreuve, comme moi, de se transformer en ancêtres durant un parcours de dix mille mètres et de poursuivre une course qui les dépassait, chacun à travers son propre pays faussement imaginaire, provoquant le bruit de pas de plusieurs milliers d'hommes qui chargent dans le mouvement d'un seul coureur.

Vous comprendrez alors mon drame et ces gestes de coureur hésitant, cafouilleux, les jambes nouées et la tête affolée d'un homme qui a perdu le cordage du réel, et que les caméras ont rapportés de moi. Les caméras pouvaient filmer ma tête mais pas la planète de boue qu'il y avait dedans ni les métaux incroyables qui me lestaient ou me faisaient trébucher. C'est vrai que j'ai couru dès le début, mais la peur a couru un peu plus vite une minute plus tard et j'ai été repris par le mouvement du siphon que connaissent tous les gens de ce peuple dont je traînais les millions de spectateurs invisibles comme un mulet en apesanteur. Personne ne savait qu'en vérité je n'étais pas un coureur mais un fuyard, et que toute la différence était là, dans ce qui sépare la fuite du désir. Le plus étrange est qu'il s'en est fallu de peu pour que je ne sois pas sélectionné pour ces jeux d'Athènes qui représentaient tant pour moi, depuis que je m'étais aperçu que mes jambes n'étaient pas destinées à ce petit corps qui s'y juchait comme une hirondelle sur des fils électriques, il s'en est fallu de peu pour qu'un autre prenne ma place et mon billet d'avion, il s'en est fallu de peu pour que je ne coure jamais après avoir raté mon bac et il s'en est fallu de peu pour que je ne vienne pas au monde car il s'en est fallu de peu pour que mon père meure le jour où il est tombé dans un puits, un jour où il essayait de trouver une eau inépuisable dont, semble-t-il, il avait entendu parler durant son enfance ou dont il avait surpris le murmure ou le magnétisme lors d'une sieste mémorable.

Mon père fut tiré du puits et sauvé de la mort trois semaines avant son mariage avec ma mère et je sortis de son ventre à elle, neuf mois après ce miracle qui marqua sa vie et augmenta sa peur de me voir repris par la terre, perdu dans une crevasse ou noyé par cette eau que mon propre père ne cessa jamais d'espérer d'une manière ou d'une autre. Je suis sorti de mon village dix ans plus tard avec mon cartable et mes jambes vers mon premier collège et je suis sorti du lot vingt et un ans après cette histoire en courant un peu plus vite lors d'un marathon organisé dans la ville à l'occasion de la célébration d'une fête nationale.

En courant ce jour-là à Athènes, j'ai vu tout cela devant moi dans le désordre d'un crash d'avion ou d'un lendemain de fête de mariage chez nous, comme un cimetière de mannequins désarticulés, une grande décharge de feuilles mortes déversées par tonnes entières au travers de ma route, ralentissant mes pas, remontant jusqu'à ma bouche pour m'étouffer et envahir mes poumons, provoquant des bruits humides de succion sous mes chaussures, et j'ai failli arriver dernier au premier virage, celui décisif qui débarrasse le peloton de tête des coureurs les plus lents, ceux qui sont déjà avalés par le siphon, ceux qui ont été déjà rattrapés par la terre et qui ne peuvent plus que retomber comme des cailloux noircis après avoir lacéré le ciel comme des météores numérotés par de rigoureux astronomes.

Dans ma panique, je compris d'un coup qu'il me fallait me souvenir de vingt-deux ans de ma vie dans l'exacte longueur de dix mille mètres chronométrés pour me débarrasser de la glaise sournoise de ces parages et retrouver un souffle plus profond et une confiance plus grande dans mes propres jambes et dans mes chaussures confectionnées de peaux de chèvres. Les autres coureurs du peloton avaient déjà atteint le second souffle, le troisième ciel, le quatrième corps et la cinquième roue, le sixième cœur propre à l'anatomie des marathoniens et déployaient des poumons si vastes que l'air y avait la petitesse d'un papillon. Je me souviens qu'un grand sanglot de rage commença même à fabriquer ses nuages dans ma poitrine et que les millions d'ancêtres et de spectateurs qui me suivaient du regard menaçaient de le reprendre à leur compte comme une énième défaite des miens face à la même histoire qui nous ligotait au temps mort depuis toujours.

Je savais que je ne survivrais pas à la défaite et que j'étais bon pour le bannissement et le ridicule si je ne forçais pas le rythme en creusant plus profond encore, plus loin que le puits qui faillit emporter mon père avant ma naissance ou la sécheresse qui faillit emporter le sien avant sa naissance à lui, ou la crue qui faillit emporter mon arrière-grand-père à l'époque où les fleuves étaient encore à portée de main, reliant les accouchements à l'horizon, servant d'horloges à ceux qui veulent compter, voyager, courir ou se souvenir à l'infini. La foule des spectateurs dont le nombre augmentait sans cesse, débordant le total exact de l'humanité, menaçant de se déverser comme un déluge dans l'entonnoir du stade et remontant vers Dieu comme une termitière gigantesque, laissa échapper un feulement sourd puis aspira les retardataires de la course, ceux qui étaient loin derrière nous, en mâcha les restes essoufflés et se retira vers les gradins pour attendre les autres vaincus qui ne devaient pas survivre comme dans les antiques arènes. Tête baissée vers le sol, je ne voyais rien de tout cela mais je sentais encore plus le poids de l'animal géant fabriqué par les millions de spectateurs, son odeur pourrie, son halètement et la touffeur de sa tanière qui sentait l'urine forte, les restes de sommeil, les excréments séchés et l'obscurité marquée de son territoire. Je devais creuser plus profond pour retrouver les raisons qui ont donné à mes jambes la faculté de vaincre l'apesanteur dès l'âge de dix ans lorsque je courus pour la première fois si vite et si bien que je me mis à flotter en riant comme un fou au-dessus des toits du village comme une cigogne, et avec la même aisance fascinante. Il me fallait autre chose pour reprendre les airs que le ciel bleu et unique de cette ville, mon maillot peint dans la couleur de mon drapeau, mes longs entraînements dans la poussière de mon pays desséché, les encouragements muets et lointains de mon staff d'assistance et mes vieilles chaussures fabriquées dans le tissu de mes super-stitions. Il me fallait plus que la certitude que mon père, ma mère, mes frères et mes voisins étaient tous, à cet instant, accrochés à leur téléviseur, retenant le souffle que je ne retrouvais pas, couchant leurs corps au travers du parcours de mes concurrents et encourageant les vents à m'assister jusqu'au ciel de cette ville discrètement immortelle, dont je ne savais pas grand-chose.

J'ai imaginé alors tous ceux qui ont toujours voulu me rattraper et n'ont jamais réussi qu'à déchirer ma chemise ou à me lacérer le dos avec des insultes et des gestes de menaces. J'ai imaginé que manquer de souffle était comme manquer d'argent et j'ai couru car j'avais l'habitude d'être fauché, pauvre, sans fortune lourde à transporter chaque jour. Lorsque j'ai dépassé le premier Suédois qui était juste devant moi, long, blond et fabriqué dans une argile mieux nourrie par les humidités, j'ai imaginé que j'avais huit ans et que j'étais poursuivi par le gardien muet et morne des vignobles qui descendaient du ciel à l'est de mon village et j'ai couru comme autrefois, en rebondissant sur mes propres hurlements de gamin joyeux. Lorsque je fus à la hauteur du Kenyan noir et aérien comme un jaguar calligraphié par des vents, c'était mon père qui me poursuivait avec sa grosse ceinture de fellah devenu un astéroïde tournant sans réponses autour de sa propre mémoire après la perte de sa terre, lorsqu'il me surprit la première fois, avec dans le bec ma première cigarette. Lorsque j'ai dépassé le second Kenyan, qui courait, lui aussi accompagné d'un léopard qu'il était seul à voir, qui courait depuis sa naissance et même avant, je me suis dit qu'il me fallait plus pour le tenir derrière mon dos et le maintenir ainsi sur mes traces comme un ramasseur de miettes.

Je me suis alors imaginé courant avec ma première lettre de demande d'embauche, courant dans les mairies, courant avec des factures, courant derrière un bus qui démarrait trop tôt durant ces matins de lycée pour rejoindre la grande ville, et quitter le caillou planté d'un minaret et d'un figuier qu'était devenu mon village, courant devant les policiers de mon pays qui voulaient encercler mes débordements par des chasse-neige, courant ces jours de paniques grises et d'effondrements le 5 octobre 1988, courant pour ne pas rater un épisode de *Ra'fat El Hadjane*, le feuilleton égyptien qui répara un peu en nous la défaite devant Israël, courant derrière les camions de marchandises pour m'y accrocher ou voler des raisins et des fruits durant la belle saison, courant derrière certains visages, ces visages si beaux qu'ils n'ont plus besoin de prénoms, du reste du corps et du reste de l'humanité…, courant à l'appel de ma mère, qui n'avait même pas besoin d'élever la voix pour secouer toute la terre comme une vieille couverture, ma mère dont la vie se résuma longtemps au balayage des feuilles mortes qui s'amoncelaient autour de mon père et qui avaient le don de se multiplier à chaque fois qu'ils se disputaient, courant pour pousser la foule de mes coudes et approcher le cortège du président de la République lorsqu'il enjamba notre village en quelques secondes alors que nous l'avions attendu, debout au soleil, depuis le petit matin, courant pour ne pas être le dernier avec cette sourde panique de l'échec dont ma mère m'inculqua qu'il était impossible, courant avec des bouteilles de limonade vides avant la fermeture des épiciers à midi, courant pour courir comme tous les autres, courant pour fuir les guêpes d'autrefois durant les étés, courant pour vérifier mon nom sur les listes de toutes les étapes de ma vie, courant vers la mer qui était elle aussi demi-nue et qui pataugeait dans le ciel à l'autre bout d'elle-même, courant pour échapper aux rafles à l'époque de mon service militaire, courant en rond dans les stades de la commune pour m'entraîner à ressembler aux cigognes, courant avec des raisins volés et des oranges allumées comme des lampadaires, courant avec d'autres gamins pour rattraper un chien malheureux qui avait le don d'attirer les nuages gris, courant comme déserteur à l'époque où on me refusait les permissions pour revoir les miens qui ne me rendaient plus visite dans mes songes ou n'y venaient que pour s'asseoir et me regarder dormir, et courant comme tous les Algériens pour ne pas être rattrapé par cette chose obscure, molle, dont on devinait le bruit de succion et la chair pourrissante.

Je divaguais bien sûr car je savais, comme les miens, que ce que je fuyais c'était surtout ce que j'avais commis, même avant de naître, comme une sorte de crime ou peut-être une lâcheté devant les femmes que nous n'avons jamais su défendre face aux envahisseurs depuis des siècles, ou peut-être je fuyais un cadavre qui était accroché à mon cou comme un jumeau paniqué. C'est d'ailleurs ce que j'aimais dans les courses de fond, celles qui peu à peu vous anesthésient, vous allègent, imposent au corps un seul rythme qui vous transforme en un gros cœur, gigantesque, nu et ouvert à des rêves et à des souvenirs désordonnés. Tout cela me donna du courage, réduisit de moitié mon poids sur terre, me gonfla la poitrine comme celle d'un gros pigeon et me permit de réussir là où mon père avait échoué.

C'est alors que j'ai dépassé tout le monde, que j'ai forcé l'élan à se faire muscles et cerfs-volants, que j'ai ouvert ma poitrine comme j'imagine que le prophète l'a fait pour héberger dix mille anges messagers à chaque verset – je l'ai appris de la bouche d'un imam un vendredi.

J'ai compris surtout que jamais il ne fallait que je m'arrête, même si mes poumons étaient déjà deux grosses braises, qu'il me fallait aller au-delà de la ligne d'arrivée, que je ne devais pas être trompé par les applaudissements et que j'avais quelque chose à faire au bout de quelque chose à atteindre. Je me suis souvenu que je venais de trop loin pour m'arrêter ici, que je courais depuis mon enfance pour atteindre cette ville, et ma véritable course n'était pas celle des mille cinq cents mètres, ni celle des cinq mille ni celle des dix mille mètres qu'une trentaine d'autres coureurs me disputaient, chacun haletant dans son propre monde, gravissant sa propre pente, mais la course parfaite, celle que visent en secret tous les coureurs de fond, celle qui leur permet de continuer à l'infini, de ne jamais s'arrêter, de ne presque jamais mourir et dont la récompense n'était pas l'arrivée mais l'indépendance profonde, le détachement.

J'avais devant moi les derniers coureurs dont peu à peu je remontais la trace et dévorais les distances, les derniers concurrents : un Allemand qui ne regardait plus qu'à l'intérieur de lui-même comme moi, deux Français sourds à toute chose sauf à la cadence de leur foulée et quelques autres nationalités.

Alors j'ai couru encore plus vite les derniers mille mètres à travers des champs de blé, des vignobles, âgé de douze ans, sans spectateurs ni encouragements, rien que pour ressembler au vent, avec à ma gauche mon propre village et sous mes pieds la même terre sèche et poussiéreuse. Je courus comme un nègre, puis comme un Arabe, puis comme n'importe qui de ma race pour fuir sa race, puis comme un animal inconnu qui a longtemps disparu et que la volonté de gagner a fait réapparaître, puis comme…

L'immense foule d'Athènes disparut brusquement et avec elle le stade, mon propre corps dont il ne resta plus que l'élan sans nationalité, les caméras, les milliers de drapeaux, la piste rouge, les dernières ovations et les autres coureurs qui s'effondrèrent derrière moi les uns après les autres comme des poteaux dévorés par la vitesse d'un train et il ne resta plus que moi, lancé comme un caillou qui fit dix mille fois le tour de la terre puis fonça vers le vide où il allait enfin cesser d'être un simple caillou. Je ne sentis presque pas le ruban de l'arrivée qui se rompit comme un fil d'araignée, ni le haut-parleur qui annonçait mon nom comme le jour de ma naissance il y a vingt et un ans, ni le silence incroyable qui suivit lorsque au lieu de m'arrêter, de ralentir mon rythme et de me plier vers la terre pour reprendre mon souffle ou tomber à genoux pour remercier le dieu de ma race, je continuai simplement de courir comme incapable de m'arrêter pour si peu d'acclamations. Car même après être arrivé, je savais que la course n'était pas encore finie et que je devais encore courir. Je suis donc sorti du stade en courant, je suis sorti de la ville en courant et sous les regards ahuris, une centaine de caméras et dix mille flashes de photographes, j'ai quitté le village olympique en courant au même rythme enfin exact, provoquant le plus gros déluge de commentaires affolés et de cris de journalistes, puis j'ai foncé, tête baissée, devant moi en courant face à des policiers qui ne savaient pas comment faire, j'ai enjambé les haies des autoroutes, les parkings de voitures, les dernières portières, puis j'ai dépassé les postes-frontières et j'ai couru. Éperdu. Comme pour rejoindre les plus grands groupes de cigognes jamais convoqués par une saison ou pour annoncer la bonne nouvelle à tout un peuple qui se croyait perdu ou pour transmettre une torche à des pays qui n'avaient pas encore maîtrisé le feu ou seulement pour ne pas retomber dans ma vie antérieure, celle d'avant le starter.

J'avais dépassé les dix mille mètres, puis les vingt mille puis le reste de ce qu'on pouvait compter. Je voyais presque défiler les dernières pancartes, les derniers signes de la civilisation puis les dernières planètes qui ont un nom avant le début du règne des astres numérotés. Je savais que de ma course dépendait une autre qui lui faisait écho, et qui ne pouvait connaître l'arrivée que par ma folie. J'ai toujours couru pour cela et jamais pour un quelconque drapeau, ni pour un pays, ni pour des médailles ou ces autres sucreries de l'époque, ni même pour faire plaisir à ma mère et lui faire oublier le ramassage ininterrompu des feuilles mortes qu'elle rencontrait partout où elle allait et qu'elle chassait à grands coups de balai dans tous les recoins, pourtant déjà propres, de notre maison où ne survivaient que trois arbres : un oranger, un citronnier et mon propre père.

J'ai couru et j'ai couru, me jurant de ne jamais m'arrêter jusqu'à ce que cela arrive : jusqu'à ce que je voie quelqu'un d'autre qui a fait le chemin inverse, à partir du ventre de sa mère et qui court sans le savoir à ma rencontre, et qui comme moi a sauté par-dessus les buissons, a aimé les cigognes jusqu'à les suivre n'importe où, dont la moitié du corps est dans les jambes et l'autre moitié dans sa propre histoire, et qui comme moi ne veut pas une médaille mais le soleil entier ou seulement atteindre la tendresse du nid le plus profond, bâti sur le minaret le plus haut jamais élevé par une prière.

LE MINOTAURE 504

À Alger, tout le monde vit avec mon argent, mon fric, les 1 700 dinars qui m'ont été volés près de la gare des trains, il y a dix-sept ans.

Qu'est-ce que tu crois ? Qu'on arrive à Alger parce qu'on a pris le taxi et son cabas ? Tu me fais rire. Ils sont combien comme toi, à ton avis ? Des millions ! Tous les millions de ce pays. Tous veulent aller à Alger et lui demander de leur faire la cuisine, de leur donner à manger, de les abriter, de porter leurs enfants sur son dos et de leur montrer la mer qu'elle possède. Tu sais (là, il se penche vers moi avec ses petits yeux qui se veulent malicieux, et pour que les autres passagers ne nous entendent pas), Alger, c'est pas une femme et ce n'est pas un homme comme toi et moi. C'est… c'est comme un truc que j'ai vu un jour sur Canal +. Oui, j'ai regardé Canal + la nuit, comme tous, mais moi je le dis (il rit en m'indiquant du menton nos compagnons, en visant son rétroviseur), je ne le cache pas. J'ai vu – que Dieu nous préserve – une sorte de femme qui avait des seins et un sexe d'homme tendu vers la caméra. Alger, c'est comme ça : c'est une transsexuelle comme on dit. Personne ne sait. Y a des gens qui veulent la téter et elle les empale. Y a des gens qui veulent l'épouser et c'est elle qui les déflore. (La route captura encore son regard et il me lâcha pour aller vagabonder dans sa mémoire. C'était la nouvelle autoroute : elle traversait désormais le nord comme une ligne droite et Alger n'était plus la ville la plus lointaine de tous les angles du pays.) Tu sais, j'ai été comme toi : je suis, moi aussi, parti vers Alger. C'était il y a des années. D'ailleurs, cela m'a pris des années pour y arriver, finalement. C'est mon père qui le voulait. Il a estimé, à un moment, que je devais trouver mon pain moi-même : c'était un homme fort, un immense taureau qui a labouré ma mère et les champs pendant des années. (Je saisissais maintenant la ressemblance, et l'origine de cette odeur qui empestait le taxi : une odeur de bête, d'écurie, de fourrure et d'urine mêlée à de la paille. Un coup de frein léger puis il reprend.) Je vais te raconter. (Je n'avais rien d'autre à faire, de toute façon, que d'écouter ce courtaud à la tête si grosse qu'elle donnait l'impression d'être vissée sur le siège, cou très court et échine de bête.) J'ai essayé de partir sur Alger dans les années 1970. Tu sais, moi, je suis un vrai Algérien : je suis né dans un village, je connais mes parents, pas comme les bavards de la ville. Ma mère a eu deux époux et moi, un seul père. Le premier était un cadre dans une préfecture, un responsable comme on dit, qui, je le crois, n'a jamais pu éveiller le désir chez ma mère. C'est elle qui me l'a dit, ou du moins, c'est moi qui l'ai déduit, à sa façon de me raconter comment elle a rencontré mon père dans un champ d'herbes hautes. Je sais donc d'où je viens mais je n'avais pas où aller. Je

m'en souviens. Pas de mon voyage mais de la sortie
du village. Vers l'est. C'est là que je l'ai attendu. Tu
sais qui? Non, vous ne le savez pas, vous, les jeunes.
J'ai attendu le bus d'Alger. Y en avait un qui passait
par chaque village du pays durant les années 1970.
Vers les quatre heures du matin. J'étais jeune. Mais
j'avais aussi peur, car je n'avais pas encore de mous-
taches (les siennes étaient grosses et il se cachait
derrière, comme derrière un mur ou derrière les
cornes d'un taureau trop bavard, à cause de sa solitude). C'était mon premier faux départ. Le bus est
arrivé une heure en retard ce jour-là, mais moi j'étais
déjà sur le chemin du retour vers la maison de mon
père. Je ne sais pas ce qui s'est passé dans ma poitrine. Ce n'était pas la peur. Peut-être seulement le
premier dégoût. Comme si on me forçait à épouser
une femme laide et cupide. À dix-sept ans, je n'étais
pas encore prêt pour coucher avec une prostituée.
Ensuite, je me suis dit : pourquoi quitter des gens que
j'aimais pour des gens qui n'existaient pas, au bout
d'un grand labyrinthe de routes et de gares? J'avais
mon cabas, de l'argent et tous mes papiers possibles.
Tu sais (il se rapproche à nouveau, et moi j'essaye
de ne pas croiser son regard, pour ne pas trop l'encourager, mais il y a encore quatre heures de route
à meubler avec son histoire, quatre heures de route à
suivre du regard le fil des poteaux électriques), tu
sais, je suis revenu presque en courant vers le douar.
Comme si tous ceux que j'avais connus, mes cousins, ma grand-mère et le boucher Djelloul, avaient
failli mourir à cause de mon départ et être emportés
par mon éloignement. Je suis resté là pendant trois

ans, mais j'ai fini par me sentir coincé : le douar ne me suffisait pas pour manger, et la télévision nous avait tous affolé l'entrejambe. À Alger, il n'y avait personne au-dessus de votre tête, sauf Dieu. Comme à la mosquée, quand on est assis à la première rangée. Tu as déjà entendu l'expression, j'en suis sûr, « Alger va enquêter ». Ou alors « Alger a dépêché une commission d'enquête ». Ou encore « Alger est informée ». C'est ce qu'on dit aujourd'hui, mais à l'époque, Alger, c'était comme un très haut gradé qui pouvait manger un homme avec les yeux, enlever le pain ou faire disparaître quelqu'un par un coup de téléphone ou, pire, un télex. On en avait tous peur, des télex : le maire, le chef de brigade et, au-delà de tout, nos pères. J'ai donc essayé encore une fois de gagner Alger. Tu as quel âge ? (Je n'aime pas ce genre de question et je suis sûr que le bonhomme avait une arrière-pensée : la tendance, très répandue dans ce pays, est d'évaluer la longueur du sexe au nombre des années ; j'ai esquissé une grimace d'homme soumis pour éviter de parler.) Trente ? J'ai passé mon service militaire près de cette ville (je ne voyais pas le rapport avec sa question, mais bon, la route était tellement longue…). À Zbarbar. Dans la forêt. Dans un bataillon. C'était le service militaire : on avait le choix, soit d'aller au sud défendre personne, soit de rester au nord défendre Alger. Et je l'ai fait. Oui, je le dis. Sans honte. J'y ai cru comme un idiot. Au lieu de défendre le pays, j'ai défendu Alger. Je ne te raconterai pas comment, mais pourquoi ! À l'époque, il ne restait rien d'autre que cette travestie. C'était la seule ville du pays où

les morts pouvaient faire du bruit et être honorés
par la mémoire. Sinon, ailleurs, les islamistes pouvaient tuer ta mère, ton père et toute ta tribu, que ça
ne faisait pas plus de bruit qu'un épandage d'insec-
ticide. Avant d'être affecté là-bas, alors que j'étais
encore dans le centre de Djelfa, on avait tous appris
les noms de quartiers de cette ville à leur sonorité :
Bab El Oued, El Harrach, Kouba, Baraki. Avant,
quand j'étais jeune, je retenais des noms de clubs
de football ou des rimes de chansons *châabi*. Pendant les années 1990, c'étaient les noms d'attentats
ou de mosquées. Les meilleures barbes, les meilleurs attentats et les meilleures morts, c'était là-bas,
pas dans les champs. On la regardait à la télé, Alger,
nous demander de la défendre alors qu'elle ne nous
payait même pas un casse-croûte quand les nôtres
allaient voir un cardiologue illustre, chez elle, au
bout de dizaines d'heures de taxi. Et je l'ai défendue, un peu comme ça, sans le savoir. (Regard plongeant vers une partie illisible de sa propre mémoire,
secrète, pas encore destinée au partage.)

La nuit (il dépasse un gros camion de produits
laitiers ; au loin, les étranges terres broyées sous
forme de montagnes), alors que je dormais allongé
en travers du seuil de notre baraquement – on ne
faisait pas confiance à la sentinelle en cas d'attaque
des terroristes –, je riais presque de ma naïveté. Tous
les gens des douars sont naïfs : ils croient qu'Alger
existe alors que c'est un grand panneau routier qui
vous indique les sorties de la ville mais jamais les
entrées. Je me disais, je suis là, couché, affamé, loin
de mon village, à défendre des gens et des généraux

qui s'envoient des vierges, à défendre une ville prostituée qui couche avec des étrangers pendant que
des gens comme moi meurent comme des moustiques affolés par une légende. C'était comme être
fait cocu par une femme qui n'a même pas daigné
être votre épouse. Alger ? C'était la deuxième fois
qu'elle me donnait un coup de pied dans le cul. J'y
allais parfois en permission mais sans jamais aller
plus loin que les environs de la gare de l'Agha. Là,
je regardais, puis je m'en allais : tout le monde
semble avoir deux dos et vous avez beau chercher
à voir un visage ou à croiser un regard, c'est toujours un dos qu'on vous présente. Cette ville me fait
peur. Même maintenant, alors que je vis de ne jamais
y arriver. Je ne t'explique rien de plus, tu comprendras tout seul, quand tu arriveras au bout des fils,
ceux des poteaux électriques. C'est comme ça que
je m'amusais à retrouver ma route dans le labyrinthe. Les poteaux mènent toujours aux villes. Tu
croyais que j'étais un taxieur comme les autres ?
Non, monsieur. Moi j'ai fait la guerre, la route, et
j'ai lu quelques livres. Un conseil : va vite dans cette
ville puis reviens. Possible que tu me trouves à
attendre là où je vais te déposer. (Plaque absurde
sur une autoroute sans relais ni aires de repos et qui
ne passe par aucune ville visible : « Aïn Defla ».
L'autoroute est un immense serpent de béton qui a
mangé tous les villages et toutes les villes en chemin.) J'ai défendu Alger pendant qu'elle se faisait
baiser dans mon dos par tous, on racontait que des
gens, venus d'ailleurs, voulaient la violer, alors que
c'est elle qui les avait excités avec ses longues

jambes et ses gros seins. Oui, mon fils. Oui, je sais que tu n'as pas l'âge de mon fils. Oui, je sais. (Mon regard, un peu agacé cette fois. J'avais mal aux jambes, parce que je ne pouvais pas les allonger, et il faisait chaud et l'odeur d'animal avait viré à l'acide. Derrière, quelqu'un parlait au téléphone. Les autres dormaient peut-être.) J'étais là, dans les montagnes, à défendre cette putain de ville et quand j'y allais, personne ne me regardait comme un héros, pas même comme une personne vivante. Surtout pas les jeunes filles qui avaient des seins fiers et des regards durs comme des additions. J'en avais mal au sexe quand je me promenais rue Didouche. Vraiment. Les filles y étaient tellement excitantes que je devinais presque, au toucher, dans l'obscur, le sens profond de la révolte des barbus. Une histoire de vagin empalé par un drapeau, entouré d'une toison ou d'une barbe mal rasée. Tu comprends maintenant ? D'ailleurs, c'est quoi ton nom ? (Je lui sers un faux prénom.) Moi, c'est Askri. Prédestiné, tu vois. Ça veut dire « soldat » ou quelque chose de plus ancien. Tu comprends pourquoi je suis le seul taxieur qui conseille à ses passagers de ne pas aller à Alger ? De descendre tant qu'il en est encore temps. De retourner à leurs maisons pour ne pas perdre ce qui leur reste de pays sous la chaussure. Tu dois trouver ça fou, n'est-ce pas ? Un taxieur de la ligne Alger qui déconseille aux gens d'aller sur Alger ! T'en fais pas, je ne crève pas de faim : les gens ne m'écoutent pas, et même si Alger crachait au visage de chaque passager à son arrivée, celui-ci finirait par y revenir, lui ou l'un des siens. Tôt ou tard. Ce n'est pas une ville mais une tentation. (Je regardais le tableau de bord qui ressemblait au dos d'une vache en plastique avec un gros pis en guise de volant. On se trouvait dans cette même vieille 504 que les taxieurs utilisent partout dans le pays. Sauf que celle-ci sentait l'animal, le bœuf sauvage, la sueur, et avait une étrange odeur de copulation mécanique.) Après le service militaire, j'avais décidé de me marier et je me souviens que le jour de mes noces, sur le seuil de la chambre nuptiale, j'ai eu la certitude que je me vengeais d'une autre femme. Qui? Cette ville. Cette capitale. Elle ne m'aimait pas, elle ne m'a même pas vu, moi qui l'ai défendue avec mon fusil et mes couilles. Tu sais, toi qui sembles si jeune qu'on dirait qu'on peut te vendre de l'air, sache que c'est comme avec n'importe quelle belle femme : vue de près, la peau d'Alger n'est pas si lisse que ça. Ses yeux n'observent personne de précis et regardent tout le monde de haut. J'ai tout compris en une seule nuit. Je m'en souviens : j'avais raté le train de retour vers Blida, et je me suis vu forcé de louer une chambre rue de Tanger, entre l'odeur des soupes, du vomi et des épluchures. C'est à peine si le réceptionniste a accepté de me loger malgré ma carte militaire. Je vais te raconter car... (Là, on passait près d'un barrage de gendarmes et le bonhomme osa, petit geste rigolo, un salut militaire, l'index à la tempe, pour signifier de quel côté il était. Collègue, j'ai dit au motard qui voulait 200 dinars que j'étais un collègue, me dit-il, bifurquant soudain dans son récit, car j'ai été blessé à Zbarbar, et tu sais ce qu'il m'a répondu ? – Non. Il a dit : Je m'en fiche ! Quand je lui ai montré ma carte d'invalide, tu sais ce que je lui ai dit ? – Non. Toi, tu ne sais pas ce que vaut cette carte, mais tes chefs, si. Il m'a laissé partir. J'ai fait la guerre moi, mon p'tit, pas de la moto. Cela m'a un peu amusé de le voir mimer l'ancien *moudjahid* dans ce pays où ceux qui n'ont pas fait la guerre n'ont même pas le droit d'avoir des dents.) Te raconter donc, car c'est un peu mon histoire, même si elle est arrivée à quelqu'un d'autre. Cette nuit-là, j'ai marché dans Alger, j'ai poussé un peu plus loin que les rues de la gare. Pendant deux ou trois heures. J'ai regardé en surveillant mes poches, comme on m'avait dit de le faire au village avant que je m'en aille, pour la première fois, voir une ville de près. J'ai regardé et j'avais cette drôle d'impression : je ne marchais pas dans une ville mais à l'intérieur d'un grand estomac. Il y avait de la salive morte partout, des odeurs d'aliments, des restes de frites sur les trottoirs, des enseignes de vendeurs de *loubia*, du pain jeté dans les caniveaux. Des poubelles entières avalées par le monstre. Partout, il y avait des restes de repas ou des restes d'hommes. Des restes d'immeubles occupés dans la hâte après la fuite des colons. Cela me donnait la sensation de la saleté, comme si je regardais l'entrejambe d'une femme de trop près. Surtout pour les entrées d'immeubles et les escaliers glissants de sécrétions. Ah mon Dieu ! Qu'elle était sale cette ville que tout le monde avait voulue au bout de son sexe, à commencer par Barberousse. D'ailleurs, c'est simple : c'est une ville qui est possédée par les voleurs la nuit, et par les puissants le jour. Y a pas de place pour des gens comme nous qui sommes toujours accompagnés, jusqu'au dernier virage du village, par les arbres, l'eau propre, les feuilles mortes ou les cigognes, par exemple. Que des restes et des départs. C'est un immense estomac (grimace qui s'approche de mon visage pendant que je surveille le volant d'un coup d'œil oblique), qui mange des gens qui, eux-mêmes, mangent, à leur tour, d'autres gens et ainsi de suite. Entre les dents, on peut voir de grosses vitrines, des voitures incroyables ou les voitures noires des gens du Pouvoir qui ne savent pas combien de nuits blanches j'ai passées à les protéger. Ce n'est vraiment pas la même ville dont on parle à la télé : quand je la regarde, il me semble qu'Alger est une sorte de trône ; alors qu'en fait, ce n'est qu'un évier d'histoires. Alger la Blanche ? (Rire atroce, forcé, effrayant.) Il n'y a rien de blanc dans cette ville, le drap d'une pute n'est jamais blanc. J'ai marché et j'ai marché et je me suis souvenu de cette histoire qui n'est pas vraiment une blague.

C'est quelqu'un qui aurait pu être ton père, ou le mien. Le genre Boubeguerra. Tu te rappelles Boubeguerra ? C'est comme ça qu'Alger nous imaginait et se foutait de nous durant les années 1970. Les aventures de Boubeguerra, le paysan, venu en ville se faire rouler par un rat des villes à la descente de son taxi. C'est comme ça que ça s'est passé pour ce vieux dont je te raconte l'histoire : on lui vola ses 1 700 dinars dès qu'il mit les pieds sur le sol algérois, alors qu'il était penché à récupérer son cabas. Les 1 700 dinars qu'il avait enroulés dans sa poche et qui devaient payer son retour, son repas et sa visite médicale. Tu sais ce qu'il fit toute la journée quand il découvrit qu'il n'avait plus un sou ? – Non. Il alla partout, scruta toutes les terrasses de café, les salons, les bars, les grosses voitures où étaient plantées des chevelures blondes, les grosses maisons d'Hydra, les belles parures et les chaussures invraisemblables à cause de leur prix, en se marmonnant la même phrase : Oui, oui, bande de chiens, continuez à vous amuser avec mon argent. Profitez-en, bande de voleurs, mangez et buvez avec mon fric… (Il m'arracha quand même un sourire, le mufle.) Il croyait que la ville lui avait fait les poches et qu'elle s'amusait avec ses minables 1 700 dinars et que cette somme servait à payer toutes les extravagances de ses habitants. Ça te fait sourire ? Dommage, car ce n'est pas une blague : c'est comme ça que les gens comme toi et moi doivent regarder cette ville : un endroit qui s'amuse avec notre argent volé, nos récoltes. Moi, mes 1 700 dinars, je les vois parfois quand j'arrive au bout de ma course. Je les vois sur le cou d'une femme par exemple, au collier qu'elle porte, ou au portable qu'elle fourre dans son sac à main. Parfois, c'est une simple paire de chaussures de luxe qui me rappelle mes 1 700 dinars. Y a notre argent qui est dans cette ville (un air sérieux soudain, comme s'il s'adressait à un peuple et pas à une autoroute. Quel voyage ! Finalement, tous les gens qui conduisent finissent par devenir des phares, me dis-je). Eh oui, c'est finalement ça, Alger : une femme qui vous empale et qui vous prend l'argent à l'arrivée. Pendant que tu cherches sa bouche et ses lèvres, elle fouille dans ta poche. Maintenant je n'y pense plus, j'ai une femme et trois enfants et une cicatrice de balle sur la cuisse gauche. Ça me suffit pour rester loin de cette ville. Je me contente d'y amener des gens comme toi, ils me payent et hop, je reprends la route du retour, avec la tentation de conduire même à travers les champs, de charger un mur. À la gare, c'est à peine si je laisse l'empreinte de ma chaussure ou si je prends un café. Je ne fais rien de plus. J'ai mis des années à trouver ma route et pourtant c'était simple, dans ce labyrinthe : il suffisait de suivre les câbles des poteaux, pas les indications, ni les histoires. Ah (surpris, je tourne la tête vers lui : j'ai cru entendre un cri, l'expression d'une douleur, celle d'un homme ou d'un taureau éperonné) : la voilà ! (Moi, je ne vois rien sinon le début d'une zone industrielle, puis une plaque indiquant l'aéroport, puis le ciel du crépuscule, puis une ville encore en désordre qui dégringole des hauteurs par intermittence.)

La voilà.

(Il souffle. Bruit rauque. Des narines qui s'élargissent.) Un jour, elle va me tuer. Cette route va me tuer. Elle m'a transformé en monstre (il ne cessait de répéter cette phrase, et j'étais d'accord avec lui. J'étais fatigué. Les autres passagers se réveillaient. Je regardai le chauffeur et je fus pétrifié : il avait l'air encore plus seul maintenant. Comme coincé dans un règne à part. Plutôt coincé entre deux règnes : moitié homme, moitié…) Ah, Alger !

GIBRÎL AU KÉROSÈNE

Cela fait cinq heures que je suis debout.

Là, attendant le début de l'histoire que j'ai prévue depuis des années, guettée, lentement élaborée en fabriquant l'unique exemplaire qui est derrière mon dos. J'ai plus de quarante ans depuis des années et cela fait des décennies que je n'ai pas vu le temps s'arrêter comme aujourd'hui.

Ce matin.

J'ai dépassé l'âge idéal pour les grosses révélations et pourtant je viens d'en avoir une : ce peuple est plus petit vu de près que vu du ciel.

J'ai cette impression presque honteuse à notre époque d'être un prophète que le ridicule tuera tôt ou tard, ou les enfants mal élevés qui jettent des pierres, ou les chiens sans maître. Pourtant, je n'attends plus l'Ange.

Je l'ai fabriqué presque avec mes mains. J'en connais le poids exact, la taille des ailes qui vont de l'est à l'ouest, la courbe polie comme un poisson puissant, la langue, le nom et même le bruit, audible pour moi de derrière sept ciels étagés l'un sur l'autre. Et comme dans les histoires anciennes, je suis le seul à voir cet Ange, à m'asseoir près de lui et à l'indiquer du doigt là où personne, pas même les enfants et les attardés ou les innocents, ne semble le remarquer ou le distinguer d'un tas de ferraille anodin.

Je suis au même endroit depuis l'ouverture des portes de l'immense foire internationale dans cette salle qui ressemble presque à la Création. Une création pauvre cependant, écaillée par endroits, destinée à abriter le troc plutôt que l'Adoration, une sorte de baraquement céleste où le cosmos est éclairé par des néons plutôt que par les étoiles. J'étais même là avant tout le monde, à l'heure des caisses, des cartons et des gobelets de café jetables. L'heure des premiers coups de balai aux allées entre les stands, de la distribution des badges et de la revue des troupes. J'ai toujours aimé être en avance sur l'horaire, puis j'ai aimé l'idée d'être en avance sur mon époque. Cela diminue mon angoisse face à l'avenir : j'y gagne un sursis et un peu de temps pour préparer mon cartable, mes cahiers, mes répliques, mon destin et tous les gestes de ma vie.

Une avance sur quoi ? Je ne sais pas.

Cela vient de si loin, de l'époque de mes premières années d'école lorsque j'ai été obligé de descendre de la colline de notre douar. Mes parents m'ont dit d'y aller tôt. Depuis, c'est ce que je fais, même à plus de quarante ans. Je viens d'une ville du sud et dans cette ville, je viens d'un douar et de là, je viens d'une maison située en haut d'une colline et au-delà de cette colline, il n'y a plus que le ciel d'où peut-être me vient l'envie d'y retourner. Je ne bouge presque pas, comme si je redoutais de faire rater à l'éternité sa prise de photo. Je ne dis rien car ce que j'ai fabriqué devrait suffire à tout dire d'un seul coup, en un seul moment, et à remplir toutes les bouches que l'étonnement laissera grandes ouvertes comme devant un rideau levé sur l'au-delà tel qu'imaginé par les sorciers de quelques tribus isolées de l'humanité. C'est tout juste si mes paupières cillent ou si je me gratte discrètement les fesses.

J'en ai l'habitude depuis très longtemps maintenant : mes premières années d'instruction à l'École d'aviation, juste après ma réussite au bac qui donna à mon père un sourire que je n'oublierai jamais. Il répara sous nos yeux, de mes frères et sœurs et moi, presque la moitié de sa vie en quelques secondes. J'ai l'habitude d'attendre sous le soleil, les pieds joints, le corps en ciment et l'œil fixé sur un chiffre imaginaire. Attendre le supérieur en inspection, l'officier en revue ou le colonel qui arrive en retard. Je suis un militaire, et dans ce pays cela suppose des habitudes strictes : sourire le moins possible, se déplacer avec un but pour les semelles, toujours donner l'impression de savoir où l'on va, ne pas répondre aux questions des gens du petit peuple, collectionner des angles droits dans ses propres gestes, ou s'immobiliser pour saluer un plus haut gradé sur son chemin. Faute de quoi, le peuple ne vous respecte plus et, pire encore, ne se sentira plus en sécurité nulle part. Je sais que ce n'est pas la meilleure pose à prendre au pied de mon œuvre et que je donne plus l'impression de surveiller une entrée ou une caserne que de signer un miracle ou un lever de rideau sur un vrai Ange qui ne descend pas du ciel mais peut y mener, si seulement on…

Ce n'est pas ma faute : je porte l'uniforme sous ma peau depuis des années et cela laisse des traces sur mes vêtements même quand je suis en civil. Dans mon pays, un militaire ne peut jamais être nu, même sans ses habits, et se reconnaît à ses chaussures, à sa rigidité, à sa fermeté de propriétaire devant la mauvaise herbe et à son regard qui surveille constamment les frontières : celles du pays, celles entre lui et le plus gradé, celles entre lui et les civils.

Ici, sous la haute toiture de la grande salle d'exposition, je ne suis pas sur mon territoire, pourtant les visiteurs ne m'approchent pas et restent toujours à trois mètres, exactement, de moi : ils savent qu'on ne doit pas fouler du pied le gazon dans les casernes. Y a-t-il une caserne ici ? Oui, car il y a un militaire. J'ai suspendu au-dessus de ma tête une banderole rendant hommage au pays et j'ai planté tout près de mon stand le drapeau comme l'aurait fait un astronaute sur la lune. « C'est un grand pas pour moi, un trop grand pas pour ce peuple. » Ou encore : « C'est un grand pas pour moi et juste une chaussure pour ce peuple. » Ou encore : « C'est un grand pas pour moi mais un peu trop grand : j'ai fini par enjamber tout un peuple qui n'arrive plus à me voir. »

Car je suis apparemment sur la lune : il n'y a que moi, le vide avec des miettes d'étoiles partout, le froid de la cendre après le départ de Dieu ou le big-bang et, au loin, le spectacle de la terre. J'aime bien cette image, mais elle sera plus parfaite si je la renverse comme une tasse de café : je suis en vérité dans la situation de l'homme qui a marché sur la lune et qui, de retour sur terre, découvre que son pays a disparu, que son peuple s'est dispersé et que personne ne l'attend, ou que son peuple a zappé, préférant regarder une autre émission pendant que l'astronaute s'égosillait ridiculement. C'est ce que j'ai ressenti hier soir lorsque je suis arrivé avec mon camion et mes deux assistants au Palais des expositions dans cette grande ville qui nous sert de capitale et qui a pris, à elle seule, le nom de tout un pays.

La chose n'a pas été facile : nous sommes venus par les airs depuis l'ouest, puis il a fallu le démonter, pièce par pièce, charger le tout sur deux camions, et remonter le puzzle à l'intérieur de la salle des expositions en trois jours. Dieu l'a fait en six. Je mérite encore plus le repos et la gratitude. J'ai fabriqué un Ange, je lui ai donné un nom, je l'ai amené jusque sous le nez de ce peuple qui attend encore qu'une table descende du ciel pour crier au miracle et c'est à peine si j'ai réussi à attirer l'attention d'une dizaine de cadres en cravate, des badauds vite fatigués.

Cela fait donc cinq heures que je suis debout et personne n'a osé s'approcher de moi, franchir ce périmètre de trois mètres que je mesurais avec un faux amusement, ni me poser une seule question, ni me serrer la main et encore moins croiser mon regard ou poser la moitié d'un regard sur cette preuve que j'ai apportée que l'on peut marcher dans les cieux et regarder la terre autrement que comme des cailloux qui respirent. Ce n'était pas la traversée de l'Atlantique mais celle des siècles. Comme l'un de mes prédécesseurs, je devais lutter contre les éléments, les crampes, l'inquiétude et le sommeil. Davantage encore contre le poids mort des miens qui ne me regardaient même pas. Mais contrairement à presque tous, mon atterrissage ne s'est pas fait sur une mer d'applaudissements mais dans mes propres chaussures.

Il ne manque pourtant rien : l'Ange est là, mes deux assistants aussi, ainsi que quelques kilos de prospectus que j'ai fait imprimer pour présenter l'entreprise que je dirige et le prototype que j'ai construit. Qu'est-ce qui n'a pas fonctionné ? Pas l'Ange : il vole et tous les documents le prouvent. Ni ma propre personne : je ne suis pas un génie mais je sais fabriquer des ailes à partir de n'importe quoi. Avec du papier, du métal, des discours, des chiffres ou même avec des mots. C'est donc ce peuple qui ne fonctionne pas. Il ne croit pas aux miracles. On y devient plus célèbre lorsqu'on tombe que lorsqu'on décolle. Je ne sais pas d'où ça vient. Peut-être, sûrement, du passé. Nous avons été tellement écrasés que le jour où nous nous sommes levés notre échine est restée courbée. Peut-être aussi que nous sommes allés si loin dans l'héroïsme en combattant les envahisseurs que nous sommes tombés dans l'ennui et la banalité. Peut-être aussi que nous sommes convaincus que tous les héros sont morts et que ceux qui ont survécu n'ont pu y arriver que parce qu'ils se sont cachés ou ont trahi. Je ne sais pas, mais je sais tout le reste : aucun Algérien ne peut en admirer un autre sans se sentir le dindon d'une farce. Oui, mais voilà : laquelle ?

Personne ne répond sincèrement. Nous avons chassé tous les colons, mais le prix a été lourd : beaucoup de morts et une terrible sensation de malaise lorsque, après l'Indépendance, nous nous sommes retrouvés enfin seuls, après des millénaires, chacun sachant ce que l'autre a commis comme petitesses dans le dos de l'histoire glorieuse. C'est sûrement ça. Ou peut-être autre chose ensuite : le sentiment d'avoir été floués par nos propres héros. Depuis, plus personne n'a confiance. Un Algérien peut marcher sur la lune, il y connaîtra la même pesanteur que sur son sol natal.

J'ai fabriqué cet Ange avec presque rien : quelques plans hérités d'un contrat avec un pays de l'ex-bloc de l'Est, une entreprise de montage en faillite, une équipe qui m'a suivi jusqu'au bout, et ma propre personne.

Je commence donc par cette dernière.

Je suis un militaire, debout près d'un stand qui vaut ce qu'a valu la balle du 1er Novembre, immobile depuis cinq heures et quelques siècles. Avant cela, je fus toute une histoire. Je suis né dans un douar dans le Sud-Ouest du pays, avec le désert derrière le dos, et le vide à mesure que l'on marchait vers le nord pour trouver un emploi ou de l'eau. Je pratique sept langues : l'arabe, le français, le russe, l'anglais, l'espagnol, l'italien et l'allemand. Cela me vient de mes stages de formation en tant que militaire et de mon envie de faire le tour de la terre. J'ai connu de petites gloires dues à mes dons pour le calcul, à mon intelligence et à ma discipline. Un jour, j'ai épousé une femme. Je possède un petit appartement, contrairement à l'idée que l'on se fait d'un haut gradé dans ce pays. Ma vie a donc lentement servi à mon unique destin : celui de construire des avions dans un pays qui n'en rêvait même pas, lui qui est tout juste arrivé à posséder enfin une terre. Cela a commencé le jour où on m'a affecté à la tête d'une petite entreprise sur le déclin à l'ouest du pays, destinée à servir de garage à des mécaniciens pour les bimoteurs d'entraînement de l'armée de l'air et pour les flottes artisanales de quelques aéroclubs.

Dieu m'appela en quelque sorte dans un parfait désert pour me faire entendre la voix de l'Ange : celle d'un moteur d'avion.

C'est coincé dans ce trou que j'ai eu ma première révélation, provoquée par des boîtes en carton, dans la section des archives de l'entreprise, que j'ai ouvertes une nuit que je cherchais à connaître l'histoire de cet endroit. Elles contenaient des tonnes de petits schémas permettant de construire des aéroplanes biplaces et quadriplaces. Des tonnes de chiffres, de flèches et de calculs. J'appris plus tard qu'il s'agissait d'un ancien projet de coopération entre un pays communiste aujourd'hui mort et dépecé et le nôtre, à l'époque de la solidarité entre les pays non-alignés. Le contrat visait le réseau des aéroclubs algériens et devait être pris en charge par le ministère le plus à la mode de cette ère enthousiaste, celui de la Jeunesse. L'histoire roulant plus vite que les ferveurs, le projet est tombé à l'eau et a croupi dans des cartons pendant quinze ans. Il n'en survivait que ces schémas de petites pièces d'un ange désossé, millimétré, réduit à un manuscrit après avoir été un rêve, un dessin ou une révélation. C'est ainsi que ma mission commença dans l'endroit le plus mort de ma géographie, à l'instant où j'ouvris le premier carton.

Dès ce moment, l'idée ne me quitta plus : je dormais avec, me levais avec, me lavais le corps en songeant au poids exact des ailes et cherchais continuellement à m'isoler dans mon bureau, comme dans une grotte de montagne, pour écouter croître en moi le bruit de l'Ange qui allait sortir de mes mains après avoir agité ma poitrine comme une cage trop petite. Construire un avion était la seule issue de secours pour ma personne et pour l'entreprise dont j'ai été nommé directeur pour compter les grains de sable de l'immense Sahara d'inutilité qui l'entourait de partout comme un découragement. De toute l'équipe électrisée que j'avais réunie à cette époque, il y a deux ans, il ne reste aujourd'hui que mes deux assistants dont je sens ce matin, derrière mon dos, la parfaite défaite muette. Celle des disciples suivant leur maître dans un pays d'impies impossibles à convaincre. Nous avons travaillé dur, de nuit comme de jour, à contre-courant du sommeil fantastique de ce peuple qui, après avoir écouté sa glorieuse histoire de révolution, s'est endormi comme il se doit. Nous étions situés dans une altitude de combustion plus rapide mais plus exaltante, électrisés par on ne sait quoi, nous bousculant pour déchiffrer les schémas magiques des anciens dieux, feuillet par feuillet, pour transmettre aux ateliers des commandes claires et des ordres précis sur les pièces à fabriquer dans les forges. L'Ange est né peu à peu, au fil de notre propre humanité isolée, comme un récit, puis comme une vision avant d'atterrir pour de bon dans notre monde comme un petit avion que j'ai appelé, en hommage à un ancien prophète mécanique, Farnas. Comme Ibn Farnas, ce fou d'Andalousie qui a voulu faire voler les Arabes dans les airs à l'époque où, déjà, ils raclaient les sols comme des sandales. C'était un nom symbolique comme il se doit, capable de résumer une histoire à lui tout seul et de la réciter en entier, en utilisant un seul mot.

J'aurais voulu appeler cet avion Gibrîl, ou Azraïl, ou Mikaïl… des noms d'Anges majeurs, car cet avion était unique, orphelin, sans ancêtres et peut-être sans descendance dans l'histoire de ce pays et de ce peuple qui jamais ne rêva des airs mais seulement d'avoir une terre ou d'en posséder un morceau. Personne à la fin, comme au début, ne nous a crus. Depuis les millénaires passés et jusqu'au jour où l'avion est sorti des hangars en battant des ailes comme s'il nageait en douceur. Ni ma hiérarchie qui se trouva embarrassée par cette carcasse, qui lui avait coûté si peu à la fabrication, mais qui risquait de lui coûter énormément dans le cas d'un flop, ni mes amis les plus proches, ni les autres casernes qui nous ont un peu moqués.

L'été dernier, j'ai passé trois jours à regarder le gros insecte sur sa piste, et à essayer de le faire voler, malicieusement, avec des prières ou des incantations magiques puisées dans mes peurs et espoirs d'enfance. Trois jours à me demander si j'avais le droit de risquer la vie d'un pilote rien qu'en pariant sur la vision d'une terre qui se déchausse à l'extrême limite de l'horizon pour rejoindre le ciel sur les ailes d'un Ange tout à fait humain.

Cela a fini par arriver.

Nous avions décidé de lancer la pierre un chaud après-midi très haut dans le ciel, avec toute la fronde de nos muscles. J'entendais au loin le bruit du moteur alors qu'au même moment, je vomissais mes tripes derrière les murs du hangar principal de mon entreprise. Je n'avais pas peur, non, mais je venais de vaincre, par on ne sait quel artifice et hasard, la lourde pesanteur qui rivait les miens à leur sol depuis des siècles et cela me donnait des vertiges fous : il y a dans la vie des moments où c'est toute la terre qui tourne autour de vous et pas seulement sous vos pieds. Je venais de marcher sur la lune, après une longue course à chercher un sens à ma vie, un sens plus convaincant que celui d'un banal piéton entre villes et villages. Personne d'autre que mon équipe n'assista au miracle et l'avion revint sur terre deux heures plus tard sans que ce peuple réalise qu'il venait de s'offrir des ailes rien qu'en me tournant le dos.

Bien sûr, dès ce moment je me mis à surveiller l'horizon pour distinguer le tonnerre d'applaudissements que me devait le pays. C'était un peu enfantin, mais c'était cela que j'attendais : des confettis, un boulevard d'admirateurs en extase, une médaille peut-être, mes photos alignées et démultipliées. Je reçus seulement le coup de téléphone de mon supérieur qui me félicita d'une voix aimable mais fatiguée.

Je me sentais cependant comme une chaussure vide qui aurait aidé un coureur de fond à atteindre le bout du monde avant de le regarder se transformer en médaille d'or : inutile et vide. Ce n'est que par la suite que je compris : j'allais me brûler les ailes, non d'avoir approché le soleil de trop près, mais l'inverse. La terre a été mauvaise et ingrate avec moi : elle m'a fait venir au monde dans un désert, puis a refusé d'être belle sauf dans les pays des étrangers. Farnas n'a pas connu la gloire, et le jour où j'invitai en grande pompe une bande de journalistes prétentieux pour leur faire constater que l'on pouvait envoyer au ciel des Anges par la force des hommes, ils se contentèrent de vider les assiettes et de pisser quelques lignes misérables en bas de page, dans les journaux du lendemain. Ce premier accueil me tua presque et ne laissa sous mon uniforme, comme aujourd'hui face à ces gens peureux qui m'évitent du regard comme si j'étais nu, qu'un cadavre en colère, capable de creuser un trou encore plus profond. Pire encore : la télévision nationale ne me consacra pas plus de trente secondes, montre en main, au journal télévisé. Casé entre la météo et la couverture de la campagne pour le référendum menée par la moitié du pays, pour convaincre l'autre moitié que personne n'est mort en dix ans de guerre absurde.

Le soir, je revins vers ma femme tremblant de fièvre, claquant des dents, la priant de m'enrouler dans les lourdes couvertures qu'elle réservait pour les grands hivers. La fièvre ne tomba que trois jours plus tard et je dus retourner à mon bureau, entouré comme un temple vide par mes proches collaborateurs qui attendaient une suite honorable à l'aventure.

Je ne sais si j'arriverai à me faire comprendre si je raconte que, depuis, je me mis à agir comme un homme fataliste qui mène son peuple vers une terre promise alors qu'il est seul à savoir que ce n'est qu'une carte postale trouvée dans une poubelle d'école. Un homme qui dort et se réveille avec cette idée malhonnête sans pouvoir en dévier d'un seul pas tant les siens ont besoin de manger des nuages pour supporter leur sort. Les miens avaient besoin de croire et je leur offris donc un gros feuilleton : on se lança dans la fabrication d'un second modèle, plus performant et plus grand car je devais entretenir le feu de la tribu avec mes crises, même si elles n'étaient plus aussi honnêtes qu'à l'époque de Farnas. La naissance du deuxième Ange passa tout aussi inaperçue. Personne ne voulait croire qu'un Algérien pouvait vaincre la pesanteur avec des morceaux de tôle, grimper au ciel autrement qu'avec les yeux ou la mort et balancer ses pieds, comme un gosse, du haut de la muraille finale en regardant les nuages. Ce peuple était creux de l'intérieur depuis trop longtemps et vivait sous terre à force d'aimer ses racines et d'en parler sans cesse. Pour lui, on ne pouvait voler dans le ciel que si on était un oiseau, un Américain, un avion importé, un mort ou une cigogne. Vous comprendrez alors pourquoi aujourd'hui la foule me craint comme la peste : je brise un destin et propose mieux que d'écraser les fronts par terre. Je le sais : debout comme un mannequin de bois avec mon uniforme qui me protège à peine de la lapidation, avec le drapeau à ma droite et Farnas immobile derrière mon dos comme le rescapé d'une expulsion céleste, je fais presque rire, un idiot qui se fait prendre en photo près d'un faux monument pour touristes. Je suis presque une blague

49

ou un clown pour ce peuple qui ne fait plus, désormais, que rire de ses héros pour mieux se moquer d'une époque où il a cru en eux comme un enfant.

Personne ne vient me voir mais je sais que, du coin de l'œil, tout le monde me regarde et attend de voir comment je vais finir sous la tonne de cendres que m'enverra Dieu pour m'aligner avec les autres, comment je vais céder à la pesanteur comme un pneu qui crève, comment je vais m'excuser d'avoir fabriqué un avion avant de rejoindre les rangs en effaçant mes traces à reculons avec mon visage en guise de chiffon. Les lâches ! Il y a des peuples qui méritent leurs Pharaons à force de n'attendre du ciel que la table bien garnie ou le coup de cravache. Personne n'a pris la peine de me poser la moindre petite question sur mon avion ou comment se présente le pays vu d'en haut. « Il n'existe même pas », répond une petite voix à ma place. Je suis trop poli pour le dire mais je le pense comme le pense mon Gibrîl au kérosène. Je me contente de rester debout, dans la longue tradition du devoir, et d'attendre que cette nation règle sa montre sur la mienne pour que l'on puisse enfin se dire quelque chose, une politesse, un mot, une phrase banale.

Le soir va tomber dans six heures sur la ville. C'est-à-dire que je vais plier bagages, mes ailes et mon ciel de démonstration pour rentrer chez moi, quelque part, sans avoir pu convaincre personne, ni prouver que mon avion vole ailleurs que dans ma tête, ni avoir obtenu une seule commande. C'est le propre des prophètes que de voir leurs arbres pousser plus lentement que ceux du reste de l'humanité, mais moi je crois que le mien restera à jamais au stade de l'arbuste.

Je vais peut-être continuer à fabriquer des avions. Ou peut-être pas. Je ne sais plus si je vais pouvoir arrêter de le faire un jour.

Il y a des nuits où je rêve de vols de cigognes qui rentrent au pays après avoir été on ne sait où derrière le ciel pour se multiplier. Un vrai verset satanique que celui qui me trotte dans la tête : « Un Arabe est toujours plus célèbre lorsqu'il détourne un avion que lorsqu'il le fabrique ! » C'est ce que pense le monde qui sait qu'il n'y a que deux sortes de peuples : ceux qui ont appris à marcher dans le ciel et ceux qui se font marcher dessus. Dans quelques heures je vais baisser le rideau sur le spectacle et ranger mes bagages sous mes ailes. Il est déjà tard. Cela se voit à la couleur du ciel par-delà les vitres de la toiture. Cela se sent en écoutant l'histoire de ce peuple.

LA PRÉFACE DU NÈGRE

Nous étions au paradis : il y avait le figuier, le pommier dont je ne voyais que la moitié, à droite, par la grande porte-fenêtre qui donnait sur la cour, il y avait aussi une nuée d'oiseaux qui laissait imaginer des espèces infinies. Je voyais le ciel encore frais par-delà le mur du jardin et je m'y laissais absorber lorsque la voix du Vieux ne s'adressait plus qu'à lui-même, par-dessus toute l'humanité qui déjà lui tournait le dos. Avant même de naître à ses pieds et de jacasser à l'infini entre prophètes et mathématiques.

J'aurais voulu posséder une maison pareille : un endroit où je n'aurais rien d'autre à faire que de donner des noms aux choses, car c'était là mon véritable don dans ce pays qui perdait l'usage de ses langues.

Une maison vieille et calme comme un ciel vacant et dont une porte donnait sur le monde, et l'autre sur des mémoires en poupées russes. Le jardin était si beau, même si je n'en voyais qu'une partie, qu'on pouvait y arrêter de vieillir, pensais-je, en restant assis sous l'un des deux arbres. Au septième jour pourtant, je m'ennuyais ferme et, sur la table, je laissai le dictaphone servir d'oreille au vieillard tellement bavard qu'il en devenait immortel. J'ai souri et je me suis dit, avec la grimace intelligente que vous devinez : « Parce que la mort évitera sûrement de donner l'éternité à un homme qui ne sait pas se taire. » Une belle phrase. Du genre de celles que l'on peut graver sur une très vieille pierre ou écrire en exergue d'un livre profond. Je me promis de m'en servir un jour, lorsque je m'adresserais à mon tour à l'humanité. Pour le moment j'étais un nègre et sous ma couleur, comme les hommes de couleur déportés, je laissais croître paresseusement des jungles brèves et dévergondées et je les suivais comme un singe agile lorsque la tâche devenait trop dure au soleil. Je pensais à tout, à rien comme un cerf-volant, en écoutant la voix d'un petit serpent imaginaire et jamais l'histoire de ce Vieux qui, de toute façon, ne pouvait avoir ni début ni fin, sauf si on marchait sur le cadavre de celui qui la racontait, ou si on lui tirait dans la bouche la même balle qu'il avait tirée des décennies auparavant, avant que le pays ne soit libre et inutile. Je m'ennuyais tant que je rêvais de n'importe quoi : lui jeter à la figure son jardin, lui rendre son argent et le regretter ensuite pendant des millénaires, me répéter qu'il n'existait pas, en fin de compte, sauf pour lui-même, ou le tuer en lui tournant le dos pour le laisser planté là, au beau milieu de son éternité, entre deux arbres, sur un trône chétif et avec d'immenses rouleaux de recommandations à l'adresse de ses créatures. Je pouvais aussi sortir dans la cour, manger toutes ses pommes et me gratter insolemment l'entrejambe pour lui signifier ce que je pensais de son désir de dicter un livre qu'il ne pouvait pas écrire ou… Oser écrire peut-être, ce que j'ai décidé de faire depuis le début, parce qu'il s'agissait pour moi de ressortir vivant de cette tombe où je me rendais presque chaque jour. Cela avait duré trois mois, j'aidais le Vieux à ramasser ses propres morceaux et à les vérifier un par un, pour reconstituer sa mémoire.

D'ailleurs, dès le début, avant même qu'il ne commence, dans sa folie, à dérouler ses papyrus moisis, à me considérer comme son portrait miniature, ou le meilleur morceau de sa création ou le jouet destiné à casser sa solitude, j'avais décidé de me dérober en lui faisant face avec une histoire clandestine qui doublerait la sienne, lui survivrait et en habiterait la carcasse comme un ver patient. Là aussi, vous pouvez m'imaginer sourire derrière un masque : un ver dont le but n'était pas de devenir le papillon trop prévisible du proverbe, mais de manger les feuilles, le fruit, puis tout l'arbre, et toute la forêt et se déclarer Dieu à la fin. Une stratégie de copiste incapable d'élever la voix à l'intérieur d'un siècle défavorable, coincé entre le besoin de manger et celui de mourir le plus tard possible. Un petit combinard dont l'enjeu eschatologique ne serait pas une doctrine secrète, l'avènement d'un livre caché, mais simplement le besoin de faire contrepoids à l'ennui de ce métier et l'obligation de fournir un manuscrit jugé au poids et payé à la page.

On comprendra donc que si je préface ce livre aujourd'hui, c'est surtout parce qu'il n'existe pas. Son auteur ne l'a jamais écrit et, quelque part, je n'ai fait que le lire à haute voix pour tromper un analphabète qui a fait l'histoire de ce pays mais n'arrive ni à la lire ni à l'écrire, ni même à y retrouver le tracé familier de son nom. Le comble de cette double infamie, c'est que le Vieux me demanda cette préface avec une insistance qui me mit mal à l'aise et provoqua en moi une sale colère, tant cette miette semblait une sorte de pitié ou d'aumône faite à un estropié, incapable de porter les armes, et qui ne faisait partie de l'histoire que parce que les héros n'avaient pas le temps d'acheter du papier et des stylos. Je me trompe peut-être, mais cette relation de nègre à narrateur, à peine entamée, avait fini par ressembler à cette lutte de volontés concurrentes d'où débouchent, en rampant parfois, l'amour, l'amitié et, la plupart du temps, des sentiments de possession ou de proximité. Le vieillard qui me payait son « propre » livre, et qui tous les trois jours me demandait de lui montrer des pages imprimées qu'il scrutait comme un nouveau-né douteux, ou les traces de ses propres pas, commença d'abord sans le vouloir à parler de « son » livre avec ces gestes de paternité maladive que multiplient tous ceux qui ont connu des enfances orphelines ou choisi des célibats appauvrissants. « Mon livre » avait remplacé « mon histoire » au moment exact où moi-même, je commençais à voir, sous mes mains, s'écrire cette histoire fabuleuse dont j'étais la tête, la poitrine reptilienne et les mains griffues, et lui, le reste du corps invraisemblable comme les monstres des religions d'autrefois. Une histoire qui devait autant à la vie tumultueuse, et aujourd'hui ratatinée, de ce vieillard, qu'à ma propre façon d'écrire, à mon style, à ma maîtrise de cette langue étrangère sous tous les angles, et à partir de toutes les terres, qu'est celle de l'écriture des Livres.

L'idée me vint dès le premier soir, face à mon micro-ordinateur, alors que je rembobinais la première cassette pour la retranscrire en l'allégeant des reniflements du vieillard, de ses toussotements, de ses hésitations entre deux langues, l'une venue avec la mer, l'autre tombée du ciel puis répandue par le désert. J'avais encaissé un petit acompte qui me décida à la tricherie et me fit découvrir l'évidence : je pouvais écrire n'importe quoi sans que le Vieux s'en aperçoive et inventer, au fur et à mesure, un livre imaginaire où rien ne se passerait de plus sérieux que le gargouillis d'un ventre creux face au souvenir d'un grand repas de fête. Je décidai, du coup, de réutiliser la même cassette pour le second rendez-vous, de l'effacer au fur et à mesure et sans en avertir le Vieux, comme on le faisait avec les vieilles peaux de bêtes, les papyrus et les omoplates de chameaux autrefois, à l'époque où les livres sacrés pouvaient disparaître avec la mort des récitants. Il voulait l'éternité ? Je décidai donc de lui offrir le trou d'une pissotière dans un désert en lui jurant que l'endroit deviendrait une Mecque de pèlerins, des siècles après sa mort.

La première semaine, j'écrivis donc un peu ce qu'il me racontait sur son père et ses origines, en regardant défiler ses ancêtres empaillés de ses yeux presque aveugles, dont l'un, terni par une maladie, me fascinait. Je commençais, par glissements malhonnêtes, libertés clandestines, sous les yeux d'un homme un peu analphabète, déséquilibré par son fusil imaginaire qu'il n'arrivait pas à déposer alors que le pays était indépendant depuis des décennies, à écrire le livre dont je rêvais depuis des années, comme un dieu fainéant qui hésiterait à se révéler sous une forme déchiffrable et à choisir un prophète dans sa collection d'hallucinés, ou même à créer un vaste miroir ventriloque comme ce monde. De l'autre côté de la table, chaque mardi, jour où je devais lui montrer des pages imprimées, il y avait ce vieillard, héros d'une guerre qui ne valait plus rien aujourd'hui, offrant à voir ces maladies de la mémoire stagnante que promènent sur leur peau tous les anciens déclassés de ce pays, avec les mêmes puantes rancunes, les mêmes rires survivant à des vengeances imaginaires, les mêmes règlements de comptes et surtout les mêmes phrases assassines qui ont si longtemps attendu leur occasion qu'elles font rire aujourd'hui.

J'étais chargé d'écouter comme un peuple entier la parole de cet homme, de la mettre par écrit, de la corriger et de lui donner cette architecture qu'ont les livres capables de désigner, à l'extrême de leur magie, tout le ciel par un seul mot, et de raconter le cillement d'un homme quelconque avec les mots qu'il faut, pour toute une vie de discours sans interruption. Le bonhomme, comme tous ceux de sa génération, ne savait pas écrire mais rêvait d'un livre final, comme d'une dernière victoire sur le Colon qui lui avait refusé l'école ou qui l'avait obligé à la quitter pour prendre les armes. Il se battait seul dans un endroit qui n'était plus fréquenté par personne, avec des armes vieilles d'un siècle, en criant solitaire dans ses propres bois des noms et des vérités que j'étais chargé de ramasser en le suivant pas à pas vers le ventre de sa propre mère et bien au-delà, s'il le fallait. Une seule histoire qui, bien qu'entamée dans des chants et des fusils, ne pouvait finir qu'ainsi, dans des bégaiements, comble de cette Indépendance qui lui avait donné la victoire mais pas les moyens de la raconter et qui me donnait les moyens d'écrire dans un pays où il ne se passait plus rien. Le pire était qu'il estimait que je devais lui servir de nègre non parce qu'il me payait mais parce que je devais payer une dette en quelque sorte, une dette à celui qui m'avait offert ce pays sur un plateau sans s'apercevoir qu'il en avait déjà mangé plus de la moitié. « C'est parce que nous nous sommes sacrifiés pour vous que vous pouvez aujourd'hui être fiers de pouvoir lire et écrire », répétait longuement sa génération à la mienne. Vous comprendrez alors pourquoi je devais jouer le pourrissement, attendant qu'il crève en montant trop haut dans son propre ciel, qu'il change d'avis ou raccourcisse son épopée pour en venir à l'essentiel : il avait fait la guerre et voulait que la Création s'arrête et le salue à chaque fois qu'elle le croisait.

Dès le début, lui perché sur une montagne dont il ne voulait plus redescendre, et moi assis de l'autre côté de cette table de scribe, qui séparera toujours dans ce pays celui qui sait écrire de celui qui ne peut plus apprendre, il était convenu, tacitement, que moi je devais croire son histoire et la gober entièrement, sans mâcher ni mastiquer, et lui, croire en ma science capable de restituer, par des mots, jusqu'au plus petit grain de poussière de ses épiques batailles, à l'époque où le monde tournait autour de lui comme une jeune fille qui voulait lui offrir sa virginité. Je savais qu'il en rajoutait, il ne laissait plus, à ses anciens frères de combat, que la lessive, la préparation du couscous ou le ramassage des mauvaises herbes au maquis pendant que lui tenait tête à des bataillons de Français, et il savait que, comme beaucoup de scribes, je ne pouvais écrire que pour de l'argent et dans la condition du larbin ou celle du nègre, la couleur du nègre de notre époque : l'homme invisible.

Pour revenir à cette détestable concurrence entre un cadavre volubile et un fossoyeur qui creuse la terre pour déraciner ses mots, il me faut dire que je suis aussi responsable que mon client : il y avait entre nous un début de haine. Il y avait discrètement, lorsque nous feuilletions ensemble les pages imprimées tous les mardis, le partage stérile et complètement fou des futurs prestiges et des gloires éventuelles que chacun obtiendrait grâce à ce livre. Il y avait aussi ce que j'appelle, faute de talent pour trouver le mot le plus approprié, la guerre du bol d'air unique sur cette lune vidée de tout : l'auteur de ce livre était un homme que l'expérience de la guerre avait rendu sensible à l'odeur du butin et il sentait de loin ce jeu de traficotage du sens des mots, de leur choix, des scènes sélectionnées, des dialogues et des réflexions que je mettais dans sa bouche. Il soupçonnait, comme un paysan aux yeux méfiants, la fausse laine de la bête que je voulais lui vendre, le second livre clandestin, le mien, que je glissais derrière son propre livre, pour laisser ma signature, mon écriture, ma propre façon de voir le monde et de le faire tourner autour de moi comme une géométrie farcie de figurants.

Le roublard guerrier, qui devait recompter ses os à chaque réveil à l'aube avant de pouvoir marcher, mort sans le savoir depuis longtemps, commença sa guerre pour me vider de son livre par une belle technique de contournement : il m'attaquait, après relecture à deux des dernières pages écrites, sur des détails sans importance, reprenait des paragraphes en me racontant le contraire de ce qu'il m'avait dit la veille et surtout m'obligeait à la dépense en des descriptions qu'il allait biffer en lecture finale, à des corrections de dates fastidieuses et des jeux de cryptage de noms et de lieux, gommant au fur et à mesure les traces de pas qui n'étaient pas les siens, écrasant dans sa marche aveugle les décors étrangers à son histoire, les petites forêts et fleuves miniatures de mon récit, mes réflexions, pour finir, tout analphabète qu'il était, par ne me laisser que les maigres restes qui nourrissaient les nègres de service. Ceux qui, comme moi, écrivent des livres ou ceux qui devaient cueillir du coton en grimpant jusqu'aux nuages et en se consolant avec des tambours cachés dans leur sang.

Le bonhomme me voulait nègre dans l'absolu, sans prénom, répondant à la clochette, à peine plus visible qu'une machine d'orthographe magique, tout juste capable de tenir un stylo et de siroter le faux thé de son histoire qu'il voulait éternelle. Ces petites corrections servaient par la suite à ces longues leçons d'histoire et d'héroïsme qu'affectionnent tous les anciens combattants de ce pays, incapables d'avoir une descendance, ou n'ayant que celle qui ne les croit plus ou les prend pour des vautours perchés sur l'arbre de la généalogie commune. À cette épave, je devais servir non seulement de nègre, d'interlocuteur muet mais aussi de fils payé à l'heure, pour renouer une filiation perdue, servir à la mécanique de l'héritage, offrir la plante de mes pieds à quelques corrections à la baguette d'olivier « pour mon bien », et porter le poids lourd de la reconnaissance. Le Vieux avait souvent, en me racontant son histoire, les allures d'un vampire, d'une araignée ou, mieux encore, d'un être humain complètement désossé. Je devenais la figure de son drame essentiel et l'image avec laquelle il surmontait sa castration, son impuissance ou la légendaire infécondité de toute sa génération. Le livre disparaissait alors dans sa bouche, ainsi que le nègre que j'étais, et toute l'histoire de ce pays réduite à une immense mastication cosmique, alors que lui prenait les apparences d'un animal gigantesque, puant la laine, affolé.

Je le voyais tirant sur la laisse de sa propre tombe et sentais sa panique à l'idée de devoir mourir vraiment, absolument, pire qu'avec une balle : d'un simple coup de balai, ou de chiffon, entre deux meubles d'époque. Vous comprendrez alors que, romancier malhabile ou nègre déformé, mon histoire ne tenait pas face à la sienne et s'en trouvait avalée comme dans l'histoire de ce prophète avalé par une baleine aux entrailles invraisemblables. Une baleine qui ne lui offrait des issues vers le monde que la plus déshonorante pour son statut de héros.

Je sortais souvent des trois heures que durait notre entretien épuisé, avec de violents maux de tête et certain d'avoir été vidé de quelque chose de plus essentiel que le sang et d'avoir servi de repas à un animal sale. La moitié du bonheur que je vivais à regarder le jardin de cette villa abandonnée par le Colon et à y jouer les recommencements était gâchée par l'obligation de subir le vieillard, de lui mâcher son histoire et de compter ses postillons. Cela me rappelait l'une des images qui m'avaient le plus angoissé durant mon enfance : celle du marin des *Mille et Une Nuits*, Sindbad, naufragé sur une île où il se réveillait avec, sur le dos, un vieillard qui refusait de descendre. J'avais, comme tous ceux de ma génération, détesté ces anciens combattants mais, jusqu'à une date récente, je ne savais pas qu'ils avaient une odeur qui leur collait à la peau : celle de la mort qu'ils avaient ratée. On se sent toujours trahir la moitié de ce peuple lorsqu'on fréquente ces gens-là. Pire encore, on se sent écrasé, incapable, réduit à la figuration et, au final, sale de l'intérieur comme une tombe.

Vers le troisième chapitre, après avoir écrit une longue introduction ronflante et boursouflée, mais qui correspondait à l'histoire de plus en plus vacillante que se racontait le pays depuis sa victoire sur le Colon, et après avoir consacré une trentaine de pages à la vie illustre du père de l'auteur dont l'épopée inaugurait la Création en quelque sorte, il m'apparut évident que la misère n'était pas l'unique enjeu de ce livre. Durant les intervalles entre les séances comptables du mardi, la nuit venue, l'oreille morte comme celle d'un coquillage à force de rembobiner la cassette du dictaphone, les mains usées par le ramassage du coton imaginaire, j'en arrivais à comprendre qu'il s'agissait d'un autre combat entre moi, petit écrivain invisible, et le Vieux qui allait se contenter d'une éjaculation et se prélasser ensuite comme un cétacé dans ce bruit d'applaudissements qui accompagne les meilleurs livres, même lorsqu'ils sont fermés et rangés dans des coffres.

Sans qu'il le sache, ou parce que je le constatais confusément, ce n'était pas la simple plaisanterie d'un ventriloque un peu vénal et celle d'un cadavre cherchant la meilleure position pour se décomposer en oubliant les odeurs, mais une course animale entre deux espèces isolées. Pire : il s'agissait d'une bataille scandaleuse au sens le plus nu du mot, autour de la paternité de tous les livres qui ont été écrits dans ce pays, de toutes les autres versions possibles de ce même livre et surtout, autour de la liberté de l'écrire, lui donner un nom et un auteur. Nous étions souvent assis dans le même salon aux murs encore chauds d'avoir appartenu au Colon, à ses rires et ses récoltes, l'un fabriquant des fleuves et l'autre payé pour les boire, nous racontant dans un pays libre la trentaine de pages qui manque éternellement à la biographie de ce territoire.

Au début, cette connexion entre ma situation de nègre, poussé à endosser une invisibilité encore plus grande pour laisser plus d'espace au héros unique de ce livre, et la façon qu'avait ce pays d'écrire les livres, de refuser de les lire ou de s'en approprier l'usage pour sa seule mémoire édentée, était pour moi un amusement. Puis cela devint une réflexion clandestine qui me permettait de regarder autrement le visage trop proche du vieillard, tout en m'asseyant à l'autre bout d'un fleuve qui passait entre nous. Je me souvins un jour, brusquement, de cette phrase martelée au-dessus de ma tête d'enfant, à l'époque de ma scolarité, que je devais répéter comme un enregistrement, que l'histoire de ce pays était un livre, était tous les livres possibles et qu'aucune histoire n'était possible sans cette histoire qui les racontait toutes.

La production des livres, les auteurs lorsqu'ils existaient vraiment, étaient étroitement surveillés à partir de cette ligne tracée entre la balle de la fameuse Guerre de libération et l'utopie paysanne qu'elle avait visée dès le début comme pour séduire tout le monde. Plus bêtement encore, l'histoire de ce pays était le livre dont la fin était de dévorer le lecteur après avoir imposé l'anonymat aux auteurs qui essayaient de laisser, tout à la fois, un livre et un nom.

Je me souviens qu'à mes débuts d'apprenti écrivain, je découvris l'impossibilité d'échapper à cette unique histoire nationale et la répulsion que m'inspirait sa répétition infinie, comme une explication de la création de ce pays à partir de la balle d'un fusil de chasse volé, comme autrefois on pensait le monde né de l'œuf d'un animal fabuleux, du papier mouchoir d'un dieu qui a sué, d'une sardine magique ou d'un autre animal plongeant au fond des eaux. La littérature que je dévorais depuis mon premier roman policier, lu à l'âge de neuf ans – et je me souviens encore de la phrase qui fit exploser ma sexualité toute précoce : « la femme s'avança vers lui, nue, encore mouillée par les eaux tièdes de sa baignade » –, était le seul moyen d'échapper à cet univers de gloire nationale qui ne pouvait plus s'assurer l'éternité que par l'usage de la photocopieuse. Plus tard, je découvris qu'il était impossible d'écrire autre chose que cette histoire de guerre, et d'écrire contre elle. Les faits, les dates et les noms étaient introuvables dans ce brouhaha, et l'enquêteur avait le choix entre écouter un Minotaure à moitié aveugle, à moitié menteur, ou suivre les traces d'urine d'une vessie qui a lâché aux premières heures de la bataille. J'étais cet enquêteur, venu non pour retrouver une vérité, mais pour gagner un peu plus d'argent que mon maigre salaire.

D'ailleurs, je me souviens aussi d'une autre phrase que, plus tard, devenu journaliste, je retrouvai un peu partout dans les livres de Mémoires de ce pays : « L'historien de demain aura ainsi à juger…, etc. » Un petit leitmotiv de folie douce qui m'annonçait que l'histoire était passible d'une fin affreusement scolaire, placée sous la main géante d'un examinateur qui vous reléguait *de facto* au statut d'un ridicule petit délateur ou d'un larynx provisoire, chargé de perpétuer un feuilleton jusqu'à son dénouement ébahissant. Dans ce pays, tout le monde écrivait donc sous la tyrannie de cet historien de demain, invisible, attendu comme une sorte de messie sévère à la fin du livre, obèse à force d'être assis et incapable de bouger, chargé de collecter les écrits et de réduire le cosmos à une seule préface. Entre le Combattant d'hier et ses scribes nègres, et cet historien immortel qui ressemblait vaguement au Colon instruit, placé à la fin du rouleau comme un gros point d'encre, il était impossible d'écrire une simple histoire d'amour par exemple, ou une histoire de rencontre ou de pêche miraculeuse, sans déboucher, malgré soi, dans cette bibliothèque violente et terrible où l'on a ramassé quelques millions d'exemplaires d'un livre unique que tout le monde revendique comme étant sien et dont chacun rêve d'écrire une copie en payant un nègre comme moi. Un scribe chargé à la fois d'assumer le plus profond silence et de lui donner pour voisinage le livre le plus verbeux qui soit, avec un seul héros contre dix mille cadavres et un pays arraché comme un scalp et porté comme une perruque. Mais là aussi je m'égare, car c'est ma seule liberté que de vous présenter ce livre que je n'ai pas écrit, et de vous expliquer les raisons pour lesquelles je me suis abstenu de l'écrire. Les meilleurs romans de ce pays sont d'ailleurs le fruit d'une parenthèse, l'exercice d'un faux anonymat ou l'accident préfabriqué d'un homme qui suspend sa rotation autour du soleil pour décrire ses propres chaussures. D'ailleurs, je n'ai presque jamais aimé les romans de ce pays tant ils peinaient à trouver une langue et une musique valables.

En vérité, j'ai commencé la dernière moitié de ma propre vie par un procès injuste de mon talent supposé : j'ai vécu cette impossibilité d'écrire comme mienne alors qu'elle était une loi imposée à tous, par tous. D'après ceux qui l'ont vécue, la révolution a choisi très tôt d'assassiner tous ceux qui pouvaient, un jour ou l'autre, mettre en péril l'unique version des faits, récolter des témoignages divergents ou écrire des livres qui dédaignaient la guerre. Le vieillard, avec un ton étrangement jubilatoire, me raconta l'histoire suivante qui pouvait être racontée en deux pages comme en six cents, alors qu'elle ne mettait en scène qu'un seul combattant chargé de tuer un officier compatriote mais lettré. Celui-ci demanda à son tueur, au lieu d'une dernière cigarette, s'il pouvait parler à Dieu toute une nuit, avant son exécution : « L'Assassin est encore vivant et il habite une ville que tu connais. Il est aujourd'hui totalement paralysé et paie ses crimes en vivant sa mort avant d'être enterré.

À l'époque, il avait été chargé par le commandement de tuer quatre-vingt-douze compagnons de maquis soupçonnés de préparer un livre, de l'avoir lu ou simplement d'en être capables. L'Ennemi avait infiltré nos rangs et la crainte de la trahison était partout, surtout dans les groupes qui avaient accueilli des universitaires et des lycéens algériens sortis de l'école du Colon. Vint le jour où l'Assassin devait exécuter l'homme le plus pieux, le plus instruit, le plus juste et le plus noble qu'il ait jamais connu. Cela ne l'empêcha pas de lui signifier qu'il était sur la liste. Tu sais, mon fils, le saint homme ne se révolta pas, ne tenta pas de fuir ni de convaincre son bourreau. Il demanda seulement s'il pouvait prier jusqu'à l'aube. L'Assassin me raconta avoir patienté jusqu'au lever du soleil, et que le maquisard condamné discuta avec Dieu comme s'il était à portée de sa main, rit avec lui, pleura un peu, le taquina, lui raconta l'histoire de sa propre vie, sa perplexité confiante et lui demanda une justice absolue au prix exact de l'injustice qui lui était faite. »

Le Vieux m'expliqua que cette nuit-là, tout ce que le pays avait connu comme atrocités depuis l'Indépendance, la victime en avait discuté avec son dieu, elle avait négocié, corrigé l'excès ou l'insuffisance, le calendrier et le moyen, le nombre de victimes et celui des bourreaux prédestinés. Étrange autodafé commis par ce pays, commençant par brûler les livres avant qu'ils soient écrits, et tuer tous ceux qui pourraient un jour enfanter un écrivain, un lecteur ou un simple conteur d'histoires indiscipliné ! Datant la création à partir de ce premier crime, je pouvais parfois comprendre l'attitude méprisante du vieillard mourant qui m'avait chargé de rédiger ses Mémoires et je démêlai facilement ce mélange de sentiments, envie, haine, mépris, méfiance, et de jeux de séduction grossiers entre nous. Il ne pouvait s'empêcher, selon une longue tradition, de voir en moi le scribe encore capable de traîtrise, et moi, en lui, le témoin coupable d'un énorme parjure. Une sorte de nécessité alimentaire veule m'avait mis à sa disposition pour enjoliver le souvenir qu'il avait de lui-même et des autres, et une sorte d'impuissance fondamentale, insoluble par les armes, l'avait obligé à dénuder la partie la plus fragile de sa cuirasse pour acheter sa petite éternité et signer de son nom une millionième copie du seul livre que tolère ce pays. Ma négritude devait à ses yeux non seulement être de la couleur la plus noire, mais aussi atteindre l'invisibilité. L'autre malheur, le mien, était justement de n'avoir jamais pu écrire mon propre livre, et que le jour où je pouvais enfin écrire une histoire, celle-ci n'était pas mienne, son héros était un menteur et elle devait être publiée sous un nom de guerre ridicule.

Après avoir si longtemps attendu, j'en étais réduit à naître sous la forme d'un vieillard cancéreux dont la moitié des paroles était adressée à des morts et l'autre moitié à son propre dentier.

Je m'amuse alors de cette invraisemblable préface de nègre parce que je suis à la fois l'auteur, le voleur, le copiste, le scribe et le traître de ce contrat.

En vérité ce vieillard à qui je devais ma naissance, et qui allait me payer avec une étrange monnaie ne valant plus rien, était une pauvre chose laide, tout juste capable de débroussailler une fois l'an son propre cerveau pour retrouver de vieux souvenirs à me raconter, et dont la seule fortune était son nom qu'il allait donner à mon œuvre. À soixante-douze ans, rongé par un cancer qui le grignotait de l'intérieur, il ressemblait aux restes de cette armée qui n'arriva pas à se disperser honorablement après la guerre de Libération et qui se transforma en une armée carnivore, capable de manger ses propres médailles. Ce Vieux, comme tous ceux de sa génération, cherchait une fin, l'épilogue net et la conclusion

de son propre jeu de répliques entre lui et la renom-
mée. Le monde, selon lui et les siens, ne devait pas
être clos par la mort, un soleil qui se lève à l'ouest
ou l'apparition de quelques animaux bicéphales,
mais par un formidable applaudissement continu,
si long qu'il ne peut que tuer celui qui l'exécute
comme une mécanique affolée. Le Vieux me voulait moi comme fils immobile, porteur de son nom
et descendant le long de son sang comme un poisson docile, né pour écrire sa vie et vivre à jamais
enfermé dans son propre livre.

Pour moi, le Vieux était le père accidentel, la
paternité qui a réduit ce pays, depuis l'Indépendance, à une salle de lecture face à une salle de
chants. L'affaire était encore plus complexe cependant. J'avais l'intuition, depuis ma jeunesse, que
ce pays souffrait non pas d'un manque de nour-
riture et d'espoir, mais d'un mal encore plus terrible et qui pouvait conduire à la construction de
pyramides ou à la perpétration de massacres : le
désœuvrement. Il me semblait que l'ancien Colon
aurait dû nous laisser quelque chose de plus important et de plus utile que l'Indépendance, un simple
cessez-le-feu capable de nous maintenir à l'intérieur de la seule véritable aventure que nous ayons
vécue : la guerre.

Enfant de l'Indépendance, je suis né au plus fort de
ce désœuvrement, c'est-à-dire au moment où s'épui-
sèrent toutes les raisons, les artifices et les saisons des
cueillettes faciles. On comprendra alors que je n'aie
pas, en quelque sorte, grandi, mais patienté lentement
jusqu'à apprendre les bons mots et les exercices de

la réflexion. Ce vieillard, je ne l'aimais pas et lui, du reste, me le rendait bien, avec un bon rire de complice : nous savions tous deux que nous étions vides et que nous n'avions rien à raconter. Cette découverte tardive expliquait mon calvaire d'écrivain impuissant : le pays n'avait vécu qu'une seule histoire de guerre et, depuis, ne cessait d'y explorer son propre reflet au point de refuser la guérison qu'avaient connue d'autres peuples. Ce désœuvrement était une fatalité, et je ne pouvais y échapper pour aller raconter des histoires d'amour invraisemblables ou imaginer des énigmes superbes capables de résumer une partie du monde et de déboucher sur des doutes qui relancent la création comme au cinéma. Tous les romans écrits depuis l'Indépendance n'ont été que le fruit fade du désœuvrement et de la perte d'intérêt des morts pour leur propre éternité. Ces livres ne racontent rien, comme cette préface, et s'enfoncent comme des voyageurs perdus, toujours plus loin dans l'éloignement sans jamais revenir nous rapporter des nouvelles ou des mensonges ou des fables comestibles. L'explication est que, contrairement à ceux d'en face, nous sommes une race cantonnée à l'intérieur de sa propre terre, percevant la mer comme un obstacle, non comme la moitié de notre propre éternité, et tournant, en plus, le dos au désert, avec un mépris inimaginable.

D'ailleurs, si les morts ne parlent pas, ils ne devraient pas écrire ni raconter.

Le bonhomme avait exactement soixante-douze ans, et avait si longtemps tourné dans sa cage sans pouvoir écrire que ses phrases étaient presque visibles à l'intérieur de ses joues avant même qu'il n'ouvre la bouche. Au fond, peut-être que son histoire aurait pu devenir intéressante si elle lui avait permis de déboucher sur l'intelligence et non pas seulement sur l'attente d'une médaille plus grosse que celle des autres. Pour résumer, donc, ce livre imaginaire, il suffit de dire en quelques lignes que le bonhomme avait servi dans l'armée française et en parlait comme d'une sorte d'avant-hier gigantesque, suspendu comme un jardin fabuleux regorgeant de vignes et de routes, avant de prendre les armes, puis le reste du pays à lui tout seul en quelque sorte. Il prétendait descendre d'une vieille famille qui elle-même descendait du Prophète.

À vingt ans, il avait été appelé, comme il se le racontait encore à travers ma servilité de nègre, sous le drapeau français et avait servi la France sur ses terres avec l'étonnement de l'indigène face au spectacle de la première voiture jamais vue et avec la ferveur de l'homme qui découvre sa maîtrise de l'alphabet à un âge avancé. Là-bas, me raconta-t-il, il connut l'enthousiasme, le zèle qui, déçu, mena à la guerre et au meurtre. Il vécut quelques faits qui lui serviraient de colonnes de marbre et de traces de pas sur la lune de sa mémoire. Son nationalisme naquit plus tard, comme une contagion, juste après son retour au pays pour le reste de son service dans la région de Tlemcen. Là-bas, enfermé dans l'oisiveté et redoutant de retomber sur terre s'il quittait l'uniforme, il chercha une issue et la trouva dans la sourde révolte de son peuple contre le Colon. En sept ans de guerre, emprisonné, torturé, puis libéré par les siens, il en devint admirable mais fade comme un chiffre dans un poème. Pourtant, ce qui m'étonna souvent, ce n'est pas l'histoire de la première arme, de la première nuit au maquis et de la première traîtrise, mais surtout cette jubilation qui traversait le récit du Vieux et celui des gens qui lui ressemblent quand ils racontent le début de leur histoire et leur première heure de clandestinité dans le dos du réel, à l'intérieur des buissons de leur gloire.

J'avais presque de la peine à repousser l'idée que la guerre de Libération avait commencé par un chahut, une indiscipline domestique ou un vol à l'étalage.

J'avais sûrement tort.

Peut-être aussi que vue de si loin, l'enfance fait toujours sourire, même celle d'une guerre. Il m'arrivait parfois de ressentir de lourds remords en regardant le vieillard penché sur les pages imprimées de fausses écritures comme sur sa propre vie et de croiser en moi l'escroc que j'étais, à l'époque où même mon père n'était qu'un enfant affamé. Son histoire sentait parfois le mensonge mais le livre que je prétendais écrire pour lui était encore plus faux. Encore plus infâme que cette petite misère de la vanité. Je quittais souvent la vieille maison de ce récit avec la sensation d'avoir les poches pleines d'objets volés et, le soir, je mangeais mon pain avec le goût de cadavre dans la mie. Je culpabilisais mais cela ne durait jamais longtemps. Peut-être parce que j'en avais l'habitude ou peut-être parce que j'estimais que je ne devais pas gâcher ma vie. Son visage ratatiné n'était pas celui d'un homme mais d'une époque et je pouvais donc le traiter comme on traite une vieille horloge. D'ailleurs, les gens qui survivent à une épopée sont des gens souvent laids, bavards, traversés par un récit unique comme les prophètes d'autrefois.

Chez nous, peuple venu de si loin pour ne plus aller nulle part, la règle qui voulait que les héros ne vieillissent pas mais meurent jeunes n'était presque jamais respectée. Les nôtres finissent toujours avec une odeur de moisi, gâchent leur propre musique et s'attardent en guides inutiles aux portes du passé. Leur choix était souvent fait : au lieu de se comporter comme dans les tragédies, refuser de vieillir, exploser comme des feux d'artifice, nos héros ont souvent choisi de vivre en rentiers. Ce pays aurait peut-être pu devenir un vrai pays si ces gens-là étaient tous morts le dernier jour de la guerre pour laisser la terre aux nouveau-nés. On aurait peut-être pu commencer vraiment à vivre le premier jour de liberté dans une sorte de Création entamée vraiment à la première page.

Penser, cela m'aidait à voler le Vieux et à lui vider la mémoire pour la remplir de sable. L'entreprise dura presque trois mois et je pus ainsi lui mettre sous le nez plus de deux cents pages imprimées, dont une partie de cette préface absurde. J'y avais tout mis en farce : l'histoire d'un coureur de fond qui n'arrivait plus à s'arrêter, et que j'avais imaginée quelques années auparavant, celle d'un fabricant d'avion halluciné que j'avais croisé un jour, et les premiers chapitres d'un roman, que je n'ai jamais pu finir, sur un homme qui ne voulait plus sortir de son appartement avant de sortir de son corps. Je me souviens que le Vieux regardait les pages comme on choisit un livre de chevet à l'intérieur de sa tombe, pour des millénaires, en humait l'odeur, les caressait. Comme il le faisait autrefois pour son arme, ou comme le ferait un dieu pour son dernier livre sacré en attente. Il se mit à rêver devant moi, immobile, éteint de l'intérieur, son œil unique telle une vitre cassée. Je crus bêtement qu'il allait mourir, puis je fis semblant de ramasser mes affaires sous le prétexte fallacieux de lui laisser le temps de tout relire avant l'impression finale.

Pourtant, si je poursuis cette préface, c'est pour rapporter sa fin grotesque, invraisemblable et dont la platitude empêche presque d'en raconter le détail, comme une maladie honteuse qui conclut une histoire d'amour violente et brève : lorsque je retournai le voir le mardi suivant, pour récupérer le reste de mon argent, je fus reçu par le fils aîné du Vieux qui m'apprit la mort subite de l'auteur, le mercredi précédent, et m'expliqua longuement ce que je représentais pour son père et pour toute la famille qui avait accompagné l'écriture de ce livre comme un peuple inquiet le ferait d'un nouveau livre sacré. J'étais à nouveau assis face à la porte-fenêtre qui donnait sur le petit paradis du jardin. Le salon sentait encore la foule venue présenter ses condoléances et l'odeur particulière du Vieux. Je trouvais même drôle de regarder le fils qui ressemblait tellement à son père. On m'offrit du thé et on me laissa regarder le figuier une dernière fois peut-être. Je savais que j'allais regretter cet endroit pendant des millénaires, en rêver pendant des siècles, mais je n'avais pas le choix : je n'avais plus de prétexte pour y revenir. Le fils me parlait toujours de son père. Je bâillais presque, la bouche fermée par politesse, et relançais parfois son monologue, avec les gestes usés d'un essuie-glace un jour de pluie. Je jouai longtemps le jeu mais fis en sorte d'amener la discussion sur le manuscrit que je devais récupérer, prétextant des corrections ultimes à y apporter. C'est-à-dire avant que la descendance du défunt ne découvre l'infamie et ne me pende ou me fusille comme on le fit de presque toute ma lignée de faussaires depuis le premier jour de la guerre. Le fils, déjà vieux lui-même, me regarda alors avec surprise puis m'expliqua en baissant la voix que son père avait tout brûlé la veille de sa mort, durant toute une nuit, après avoir scruté le manuscrit pendant des heures. « Personne n'a osé lui demander d'arrêter, ni pourquoi il le faisait. » Il était gêné et attendait ma réaction. Je fus tenté un instant de céder à la colère mais je sus très vite que, là encore, j'allais me mentir à moi-même. À quoi bon ? Le livre n'avait jamais été écrit et vous pouvez le lire n'importe où dans ce pays.

Personne n'y échappe. Des millions d'exemplaires pourrissent au soleil, dans les cafés, dans les écoles. Il suffit de se pencher ou de suivre l'odeur des grosses moisissures pour en retrouver des pages. Le Vieux pouvait crever, ils étaient déjà des milliers à délirer comme lui. Même ceux qui n'avaient jamais participé à la guerre de Libération. Le livre est partout comme un dieu ou un cercle géant qui avale tous les autres livres et les réduit à

des dialogues, des ponctuations ou des têtes de chapitres bégayants.

Il y manquait seulement la préface.

L'ARABE ET LE VASTE PAYS DE Ô

UN

Imaginez un homme un peu basané, peut-être noir,
nu comme il se doit pour un barbare des anciennes
géographies piétonnes, – front en sueur, narines affo-
lées – déboulant soudainement dans la Création à
partir d'un trou d'abondance et de futilité comme il
doit en avoir existé au commencement de cet univers. Avant que les hommes ne colmatent la fente
par des récits et des tombes d'ancêtres insistants.
   Le sauvage court un peu dans tous les sens, fait
jaillir des gerbes de sable sous la plante de ses
pieds, tombe puis se relève et se dirige vers vous
sans vous voir, le visage décomposé par la peur, la
bouche ouverte sur un cri inaudible comme celui
des insectes. Cela vous surprend un peu et vous fait
reculer d'un pas dans la niche de votre invisibilité
d'immortel. Brusquement, comme on vous l'a déjà
raconté mille et mille fois, vous comprenez que le
pauvre animal tremble à l'idée de mourir dans une
marmite préparée par ses frères, mangeurs de chair
humaine à l'occasion des rites et des mauvaises
récoltes. La petite scène se déroule sous vos yeux

comme dans un livre pour idiots, vous la regardez à partir du ciel, de chaque coin possible de la géométrie terrestre, de derrière vos propres épaules car vous êtes partout dans cette histoire, invisible mais nécessaire comme spectateur et axe de mouvement des vastes rotations cosmiques.

Quelques minutes ou quelques lignes plus loin, la scène pivote juste un peu autour de votre nombril : le sauvage est maintenant caché derrière de hauts buissons pendant que de grossiers sosies le cherchent avec des machettes rudimentaires, dans les cris d'une langue si pauvre et si inconnue qu'elle finira un jour par mourir sans que personne ne s'en aperçoive. Les sauvages scrutent le sable pour déchiffrer l'itinéraire de leur proie, se concertent avec des grognements puis se dirigent en hurlant vers le fuyard qui se croyait protégé par son pauvre camouflage. En général, c'est à ce moment que cela se déclenche et que la nécessité de votre peau blanche et la loi de votre divinité vous poussent à vous croire responsable de l'univers dont vous êtes à la fois le centre, la limite et le sens clos : vous devez intervenir. Soit sauver le pauvre nègre, soit tourner le dos et continuer à arpenter les infinis de votre propre gloire, à l'occident de toutes les saveurs désordonnées et des endroits qui ne portent pas encore les noms de vos navigateurs ou de vos géographes.

Du coup, l'histoire peut s'arrêter sur ce banal accident matinal, survenu à l'intérieur d'un règne sans importance avec un repas anthropophage ou bifurquer sur la fascinante confrontation entre vous et l'esclave après le coup de feu qui va lui sauver la vie. Vous êtes un peu Dieu et un seul geste suffit pour accorder la vie et en économiser le gaspillage. Le sauvage devient sauvage au moment exact où vous lui sauvez la vie en tirant sur lui et en le ratant accidentellement. Il vous devient nécessaire pour baliser un périmètre nouveau, prouver votre nécessité et rendre visible votre œuvre. Comme le diable des anciens récits qui expliquent pourquoi nous sommes enfermés dans cette bulle comme des reflets. Dieu aurait peut-être égaré sa Création sur un banc public comme un vieux journal s'il n'y avait pas eu, au commencement, la désobéissance d'un ange pour en gonfler l'intrigue et en perpétuer le mouvement propre. Vous avez en fait la même histoire, vous et Dieu, et personne ne sait en vérité qui remplace l'autre dans l'ordre des choses : vous ou son Altesse indiscernable. Surtout lorsqu'on compare vos visages supposés, vos traits au repos et vos manières de donner les noms, fixer les territoires et répertorier les tribus comme les cailloux bizarres en discourant à partir du ciel. Et pour sauver le malheureux sauvage, alors que son histoire peut finir dans une marmite, il vous suffit soit d'enjamber son île, soit d'en prendre possession pour changer l'ordre des choses et imposer un récit là où il ne devait y avoir qu'une partie de chasse et un repas cannibale interrompu par des grognements rassasiés, à défaut d'une langue écrite.

Si vous ne l'avez pas encore compris, l'histoire se passe dans un coin du monde si immobile qu'il ne peut servir qu'à raconter le même récit en attendant l'invention de la roue ; dans une sorte de langue simplifiée au point de tenir dans la bouche d'un enfant, avec un ciel tellement immense qu'il déborde son créateur comme un pot de peinture renversé, et une mer si infinie qu'elle a fini par refléter un dieu dormant. Il n'y a rien autour de la scène, sauf des rebords qui donnent sur le silence, et l'univers est encore expliqué par le récit de glaise, de sueur magique, d'une vieille tortue cosmique.

J'ai de grosses lèvres, un crâne négroïde, des pattes fortes et arquées et des dents splendides et si blanches qu'elles trompent les coqs à l'aube lorsque je souris dans mon sommeil. Ce n'est pas vrai bien entendu, mais c'est ainsi que vous me voyez peut-être, même lorsque nous sommes nez à nez. Mais ce n'est pas le plus important. En vérité, je suis brun, j'ai trente-trois ans, je suis maigre avec des yeux vifs et les gestes doux d'un homme qui semble être né sur la pointe des pieds et qui sourit tristement pour faire pardonner son existence.

Je suis un Arabe, mais pour vous, il est difficile d'imaginer un Arabe seul sur une île inconnue servant à l'hypothèse d'une nouvelle interprétation du monde. L'explication est simple : le dieu des Arabes est partout, par conséquent un Arabe n'est jamais seul comme un héros face au nœud qui fermerait l'accès d'un continent fabuleux. Dans le coin le plus vide de la terre, il fréquente encore son Coran, son turban et son chameau, avec son célèbre regard qui ne pardonne pas le vol de l'âge d'or et des chiffres de sa race. Ma négritude n'est cependant pas sur ma peau ni dans la langue que je parle. Un Arabe n'est pas reconnu à sa couleur mais à l'odeur de renfermé qui l'entoure.

Du coup, pour me rendre visible dans votre histoire et y accéder comme un personnage parlant, j'ai choisi la couleur de l'homme que vous distinguez le mieux depuis des siècles. D'ailleurs, tous les hommes sont nègres dès qu'ils ne sont pas Blancs. Sans l'artifice de cette négritude soutenue comme un sous-titrage, le naufrage du Blanc sur une île visitée par des chasseurs arabes n'aurait jamais abouti à la réédition d'un récit de la Création mais au simple fait divers d'une prise d'otage, d'une décapitation avec psalmodies ou d'une confrontation stérile entre lignées de prophètes, rites alimentaires, interdits respectifs et livres sacrés. Au mieux, vous y auriez appris à marcher pieds nus dans la mosquée et les miens vous auraient lassé avec leur histoire d'une race à qui Dieu a confié la mission de ramener l'humanité à ses pieds, même en la tirant par les cheveux. L'île n'aurait servi à rien et le genre de livre qui raconte comment on se passe de Dieu ou comment on le retrouve n'aurait jamais pu connaître cette fascinante audience depuis des siècles.

Reprenons donc depuis le début, au point mort où un sauvage arabe chute miraculeusement d'un avion, se reprend au sol comme un météore piéton et incassable, puis se met à courir vers vous aveuglément, pour fuir ses congénères qui le poursuivent parce qu'il a perdu et son dieu et la foi, en voyageant pour la première fois de sa vie par les airs vers un Occident sur lequel le soleil ne se couche plus. Imaginez que la chasse a lieu dans une île déserte mal dessinée, dans un coin des anciennes cartes des missionnaires chrétiens, et imaginez que cet homme s'est donné pour nom « Vendredi ». Pour vous, Occidentaux destinataires de presque tous les livres possibles, les choses s'éclairent peut-être et vous rappellent une histoire que vous aimez bien et qui vous sert de paternité lorsque vous ne voulez plus trop remonter dans le temps, une histoire qui raconte l'épreuve de votre condition insulaire face au reste de la barbarie et le moyen d'y faire face par l'usage des outils, du verbe et du fouet. Il vous semblera peut-être, alors, que cette histoire est déjà vieille et qu'elle ne raconte rien de nouveau : pourtant, il n'en est rien.

Le sauvage est bel et bien en fuite, il est pourchassé par les siens, il s'appelle Vendredi et il est seul sur une île vide. Absolument seul après le départ de ses frères chasseurs.

Vendredi, seul, est assis face à la mer qui tue et ranime et sans aucun vis-à-vis, pas même le temps qui, avant l'intervention de l'homme blanc, ne coulait pas dans un seul sens mais tournait comme une saison permanente autour de chaque vie. Personne à qui parler pas même les ancêtres éparpillés comme des osselets dans le mouvement de la fuite, pas même Dieu qui s'est toujours révélé d'abord aux hommes des continents.

Vendredi est seul avec sa langue qui frétille comme un poisson asphyxié, obligé de trouver et de suivre une ligne droite dans une île ronde, poussé dans le vide du haut d'un avion transcontinental par les siens mais mal accueilli, après la chute, dans cette version de l'histoire qui lui donne à peine la possibilité de raconter son périple. Sauf à lui-même et à haute voix pour ne pas s'en lasser. Rien donc.

DEUX

Deux façons de continuer cette histoire : ne rien dire et attendre que Vendredi crève d'immobilité après avoir mangé tous les oiseaux et tout le gibier de l'île, en l'imaginant se masturber comme un fou pour tenter de féconder les arbres ou les pierres et survivre à l'extinction de son ravissant prénom extrait d'une planète très proche du soleil comme son continent ; ou m'écouter, moi, vous raconter l'explication de son cas au XXIe siècle parce que ce Vendredi, c'est moi, même si je suis arabe et que les îles ne sont plus que des intentions, des heures d'isolement accidentel, des ruelles dans certaines grosses villes, un phantasme d'homme blanc ou tout simplement une façon d'illustrer l'impossibilité de fuir sa condition.

Il reste qu'à vos yeux, un Arabe ne ressemble pas tout à fait à Vendredi : un Arabe n'aime pas la nudité, en veut presque à son corps et encore plus au corps de la femme, un Arabe peut occuper sa vie avec des prières et des ablutions et ne se promène jamais sans son dieu juché sur son dos, qui lui répète qu'il est son préféré et que le meilleur moyen de répandre la vérité est de la jeter au visage des autres comme une aveuglante poignée de sable. Si Vendredi avait été arabe sur l'ancienne île de l'ancienne version de cette histoire, cela aurait fini par une décapitation, un partage guerrier du territoire, un assassinat le jour du sacrifice rituel à défaut de mouton ou un dialogue de sourds. D'ailleurs, et pour raconter ce qui se raconte dans vos têtes, le Vendredi arabe ne serait pas venu seul mais avec ses frères et aurait commencé par construire un minaret et voiler la lune pour l'autoriser à se promener en public dans le firmament. Un Vendredi ne saurait être arabe car l'histoire n'aurait jamais pu finir comme on le sait : un sauvetage miraculeux après vingt ans d'attente, avec une fortune rétrospective pour Robinson et un flou artistique pour son esclave devenu l'esclave d'une culture. Pourtant, il faut bien me croire : ma solitude est si grande qu'elle se fabrique elle-même des îles pour occuper son rouet. Elle n'est pas celle de la géographie mais émane de l'histoire : je ne voyage pas vers Dieu comme tous les miens mais je reste assis dans un seul endroit et observe les autres s'éloigner vers un morceau d'os investi du pouvoir de se faire obéir par la vie.

Je m'appelle bel et bien Vendredi et ce nom, je me le suis donné parce que j'y ai droit plus que quiconque lorsque je rentre chez moi le soir, et que je referme ma porte sur le reste de notre terre à nous les Arabes, pour creuser au plus profond. C'est un nom que je mérite parce que ce n'est pas le nom d'un objet, ni le nom d'un animal ni celui d'un être humain : c'est le nom d'un peu de temps, d'un jour de semaine, c'est-à-dire le nom du dernier jour des œuvres de la création, celui de la fatigue divine, de l'oisiveté cosmique qu'aucune religion ne raconte ni n'explique suffisamment (Que fait Dieu entre l'instant T et le discours de la fin?). C'est un compromis qu'a trouvé l'homme blanc pour donner un prénom à un être dont il ne savait pas encore s'il avait une âme ou simplement de l'appétit. Je me le suis donné pour les mêmes raisons mais aussi pour des raisons de calendrier que j'expliquerai plus tard. Avez-vous connu une ville arabe par un vendredi, ce jour où nous plions la terre comme un tapis sous le bras?

Résumons donc : vous êtes un Blanc, je m'appelle Vendredi, mon histoire se passe dans une île que vous ne pouvez pas voir sauf peut-être à la fin de mon récit ou en arrêtant de prendre des photos du reste de la Création. Il n'y a personne d'autre dans mes parages, pas même vous comme de tradition. Je suis seul, nu, tremblant, riche d'une statuette de Dieu faite de pâte de datte, j'ai faim et je veux en manger un bout pour commencer, pour ne pas crever de faim durant la traversée de ce Sahara qui colle à la peau de l'Arabe comme une question.

Les autres sauvages ont repris leurs pirogues pour rentrer au village, la mer ne se franchit pas à pied sauf par les amoureux et les prophètes et personne ne songera à venir me sauver car je ne suis pas un homme blanc dont la vie est précieuse parce qu'unique comme celle d'une ampoule nécessaire pour rendre lisibles tous les livres. Je suis Vendredi, un simple jour de semaine, un Arabe qui fait les cent pas dans sa propre chevelure, et mon histoire est difficile à comprendre parce que ce n'est pas l'homme blanc qui la raconte.

Par où dois-je donc commencer?

Par le ciel, car je suis tombé d'un avion avant de m'écraser sur cette île comme une pierre noire qui fera tourner une partie de l'humanité autour de son obscurité.

Cela s'est passé un jour affublé du numéro zéro et la chute a duré trois mois ou peut-être quarante jours du haut d'un avion américain de la compagnie Delta Airlines, le 6 mars.

TROIS

Lorsque je voyage par les airs, je n'ai jamais confiance. Je m'y sens beaucoup trop proche de Dieu et de son ciel pour ne pas être proche de la mort. « Lorsqu'on quitte le sol, on est certain de ne pas y revenir en un seul morceau », me disent tous mes ancêtres. C'est une loi que ressasse chaque indigène né dans ces sortes de pays qui n'ont pas inventé le transport par les airs, sauf pour les anges et les esprits. Je me rappelle que ce voyage-là était le plus long de toute ma vie : un voyage tellement long qu'il se devait de finir par une révélation, et lentement me transformer en pèlerin, en homme fortuné ou en marchand d'objets inconnus. C'était la première fois que je prenais l'avion pour traverser non seulement la terre, la mer mais aussi le temps : je partais vers l'Amérique, c'est-à-dire vers ce côté du globe où il fait jour pendant que sur les miens il fait nuit. Je sautais, en quelque sorte et scientifiquement, une journée entière dans les calculs de Dieu, et je pouvais déjà me perdre entre deux pages de son livre de comptes. Étiré à l'infini comme une lettre arabe qui ne veut pas fermer sa bouche, je glissais hors des doigts de Dieu et profitais de cette parenthèse des latitudes courbées pour échapper à sa loi du retour rectiligne, tracé entre le moment de la naissance et celui du repentir, face contre terre, les mains ouvertes pour illustrer le désarmement.

Choisi par le State Department US pour visiter le pays impie, devenu plus vaste que deux fois la terre depuis une cinquantaine d'années déjà, j'étais dans un endroit de la mécanique d'Allah qui me ravissait à son regard, au milieu du point aveugle de son omniprésence, assis simplement dans un avion qu'il n'a pas fabriqué. Il est vrai que je n'ai jamais aimé voyager par les airs et que les avions me terrifient comme un blasphème. Mais l'Amérique valait la peine d'une désertion et, curieusement, ce ne fut pas la peur qui marqua ce voyage mais la sensation d'une liberté incroyable qui me ramenait à l'enfance et à ses champs sans gardien. Très souvent, pour échapper à la panique que provoquaient en moi ces machines qui transgressaient trop facilement la pesanteur, je jouais le mort durant les vols, refusant de manger, de parler et de lever les yeux du dossier du siège qui me faisait face, priant sans cesse ce même Dieu de me pardonner cette ascension qui ne devait rien à ma pureté, mais à l'Amérique qui a inventé la flotte et la billetterie low cost.

J'étais accroché là-haut par la seule science de l'homme blanc qui était l'ennemi juré d'Allah, et ainsi la seule créature qui ne comptait pas sur lui pour aller plus loin qu'il ne pouvait aller lui-même.

Dans un avion donc, quelle que soit la destination, et encore plus le jour de mon voyage vers l'Amérique, j'étais toujours du mauvais côté et presque en clandestin dans ce ciel qui ne m'avait pas appelé, un hors-la-loi de cette soumission qui est le sens propre de la religion des miens. Vous comprendrez alors pourquoi ma terreur était immense et participait de l'effroi indigène face au voilier des dieux venus d'au-delà de l'océan ou face à des horloges parlantes. Au fond, j'avais toutes les raisons de me rassembler en un seul hurlement hystérique, mais cette fois-ci le voyage était trop important pour que je le refuse – même pour faire plaisir à Allah. C'était la première et la dernière fois que j'allais visiter l'Amérique sans rien payer de ma poche, marcher sur le toit de l'Empire et arpenter quelques kilomètres de cette terre que chaque Arabe voit chaque jour passer dans le ciel, au-dessus de sa tête, comme une île flottante, dont il rêve comme d'une femme perse. Une terre qu'il ne peut pas comprendre car il ne peut la voir que du dessous, à partir de son ventre mou.

Je me souviens de moi-même ayant presque perdu jusqu'à mon prénom sur les marches de la passerelle de l'avion qui devait me mener de ma ville vers Paris d'abord pour une escale de quelques heures, avant de me lancer vers la ville adverse du pays d'Allah. Je me souviens : je sentais déjà l'incroyable portail de fer qui fermait les murailles du monde blanc et le protégeait contre nous, notre multitude et nos sabres. Une porte d'airain dont la largeur épuiserait trente-trois chevaux lancés à pleine course et dont la hauteur fonçait vers le ciel jusqu'à en écarter la foule des étoiles comme des cailloux et diviser l'univers en deux parties inégales, inégalement arrosées par la pluie, la verdure et l'ombre douce. La mécanique des gonds gargantuesques devant employer des animaux immenses et invisibles pour en tirer les pans et en faire tourner les pennes selon ce que l'Occident voulait admettre comme quota d'indigènes ou comme colis de perles, de corail et tonnes de vanille naturelle. Depuis le déclenchement de la guerre entre nous les Arabes (gens à la négritude floue) et l'homme blanc, tout le monde savait que l'endroit le plus inquiétant pour un Arabe, le lieu exact où il perd ses vêtements et exhibe la petitesse de ses testicules était justement l'Aéroport, ce pays où tout le monde est exempté de sa nationalité sauf nous. L'Aéroport parce qu'il n'en n'existe qu'un seul, gigantesque, installé entre les deux bords de la terre, fabriqué pour lancer dans les airs des milliers d'avions, recevoir la descente lourde et parfaite de milliers d'autres, mais aussi pour humilier l'Arabe et fouiller son pantalon jusqu'à atteindre les parties intimes de ses propres ancêtres. C'est dans cet espace que l'Arabe prend conscience de son corps autrement que comme un sabre ou un mal nécessaire à la conservation de l'âme. Vingt ans d'ablutions et de sexualité clandestine y trouvent leur échec par un déshabillage dû à notre incapacité à tisser nous-mêmes les pantalons et les défendre. Et pour ceux qui croyaient qu'il est difficile de voir un Arabe nu même après sa mort, il suffit de se promener dans l'Aéroport pour en voir des dizaines alignés face aux fours purificateurs des scanners, obligés d'enlever leur chaussures, comme face à Dieu, sommés de déplier jusqu'à leur peau et de déposer leurs os dans de petites caisses en plastique, qui seront transportées sous scellés dans les soutes de l'appareil. Un Arabe ne peut même plus aujourd'hui prendre un avion sans déposer ses dents à la police des frontières. C'est donc nu que j'ai déambulé dans l'Aéroport, hésitant à choisir un coin pour m'asseoir, en pensant à ce que devait penser le Blanc en uniforme s'il me voyait dans un endroit trop discret – comme si je voulais passer inaperçu – ou trop fréquenté – comme si je voulais faire le maximum de morts. Reclus, je fis presque le tour du monde en parcourant l'Aéroport d'un bout à l'autre, fixant les vitrines qui exposaient des bijoux hors de prix, lorgnant vers les magazines de « femelles » nues et lascives, et hésitant à m'asseoir trop près des hommes qui n'étaient pas, comme nous, tout le temps en colère, et des belles femmes blanches que je regardais avec envie et méchanceté. Je déambulai donc le temps qu'il fallut avant de monter au ciel, évitant de croiser les regards, gêné d'avoir perdu ce naturel qui aurait pu me faire passer pour un simple voyageur. Simple voyageur !

Je me souviens enfin de ces heures où j'ai cherché partout un coin de sable pour faire taire mon prénom et l'enterrer vivant, en vain. À la fin, j'ai rampé vers la porte d'embarquement six heures avant le vol et j'ai tenté d'oublier le poids du Portail qui me faisait face comme un sphinx sculpté dans une serrure géante.

QUATRE

Qu'a fait d'abord l'homme blanc sur l'île de son naufrage éducatif? Il pria, fit un feu, se fabriqua un casque colonial, laboura et se fit tour à tour menuisier, fermier et éleveur. En vérité, s'il arrive à l'homme blanc, aujourd'hui, de se perdre sur une île, ce ne sera que pour quelques heures tout au plus : les îles sont mortes ou ont été toutes mangées et le Blanc, après avoir retourné le monde dans tous les sens, se les fabrique désormais avec du papier et de la colle forte pour en garder le souvenir. Naufragé à mon tour, je ne ferais rien de tout cela et me contenterais seulement d'attendre la fin du monde, la résurrection qui va nous donner raison face aux autres peuples et prouver que Dieu possède bien notre nationalité et parle notre langue à nous. Un rendez-vous certain que ma race attend en accomplissant le minimum entre l'obligation d'avoir des récoltes et celle de féconder les femmes.

Contrairement à l'homme blanc qui s'y sent chez lui malgré ses angoisses, le monde m'est déjà donné comme une salle d'attente avant de rejoindre Dieu, et dès l'enfance on m'a appris l'essentiel : cette vie n'est pas pour nous mais pour eux. Cela explique la contradiction insupportable entre notre misère, notre impuissance et notre statut de dépositaires de la vraie religion, face à leur richesse, leur sens de la justice, leur force. Dieu a partagé selon sa volonté : nous vivrons mieux après notre mort, et cette conviction se voit déjà dans notre façon de sourire comme des initiés face aux naïvetés de l'insupportable jeunesse de l'Occident. Pour vivre, même perdu sur une île, il suffit donc d'attendre que le temps s'épuise et que tous les juifs soient morts, dénoncés, même, par les rochers et les arbres lors de la guerre de reconquête de la Palestine le jour où le soleil se lèvera à l'ouest. Dans notre cosmos intérimaire, il ne sert à rien de se raconter des histoires d'éternité et d'amour puisque nous n'y sommes que pour expier une faute et nous laver sans cesse d'une saleté immémoriale. La Création entière est une sorte de punition pour le vol, endossé après les chrétiens, d'une seule pomme remplacée par une figue pour coller à la flore locale, nous sommes nés pour vivre une sorte de sentiment d'échec collectif, une jambe levée et les mains sur la tête. La Création entière vécue presque comme l'enfant illégitime de l'éternité avec un dieu qui ne nous y poussa que pour expier une faute que nous étions coupables de ne pas avoir commise ou de ne pas nous rappeler, comble de la félonie fondamentale. À quoi peut donc servir de construire des routes puisque le Jugement dernier est éternellement proche et que nous vivrons presque tous mieux au paradis, né du souvenir des jardins de Perse d'autrefois ?

Perdu sur une île, j'étais ramené à une réduction commode de ma condition initiale : j'étais là pressé de mourir et de me reposer enfin de la chute. Mais si je me suis donné le nom de Vendredi, ce n'est pas seulement pour me rendre visible dans les territoires barbares. Assis près d'un hublot du vaste avion, coincé à la droite d'un Américain obèse, ne sachant plus comment compter les heures ou s'il fallait encore croire aux anges ou au kérosène, je commençais déjà à perdre la foi en regardant les nuages. En vérité, l'érosion de ma foi remontait à plus longtemps, avant que je n'ose en parler à moi-même. Nous sommes encore rares et discrets dans le pays d'Allah à penser que le monde n'est peut-être, en définitive, qu'une vieille maison construite pour les besoins d'un être inconnu, que personne n'a vu, et dont nous nous expliquons mal les mœurs ou les raisons, en collant l'oreille au ciel pour distinguer ses pas des pas des morts. Pour être exact, je n'ai encore rencontré personne qui veuille bien le penser à haute voix et c'est pour cette raison que je me suis donné le nom de cet indigène docile qui donna à Robinson l'occasion de relancer le dialogue avec lui-même.

L'homme blanc croit que le propriétaire de cette maison est mort et il le remplace donc tant bien que mal, en réaménageant la maison peu à peu et en farfouillant dans les fondations et les canalisations pour en comprendre le mystère, quitte à risquer de provoquer l'effondrement de la bâtisse et sa ruine. Que fait l'Arabe dans cette maison tombée d'un ciel si vide ? Il ne touche à rien en expliquant que l'un des siens a déjà annoncé le retour du maître des lieux, ou se lance dans de vastes razzias, puisque cette demeure est d'abord la propriété de celui qui l'a trouvée en premier, c'est-à-dire lui. Je fais donc partie de la deuxième catégorie et, sur une île vide, après une longue chute du haut d'un avion transatlantique qui m'a fait perdre les ailes,

les os et l'usage de la parole, je n'ai rien à faire de plus que ce qu'ont fait déjà les millions d'individus de ma race lorsqu'ils ont hérité du monde et que le monde a hérité d'eux sans savoir qu'en faire : je me suis déclaré calife puis je me suis assis pour attendre que Dieu passe avec un livre et un panier rempli. La vérité est que, souvent, je vais m'asseoir face à la mer qui n'a pas la même apparence lorsqu'elle est vue de face par l'homme blanc, ou par le naufragé arabe, qui, lui, la regarde de dos. Comment est la mer du naufragé ? Un doigt gigantesque qui indique l'unique direction du salut, une marche ratée au début de l'escalier qui mène au ciel, une géographie qui sourit aux couples blancs lorsqu'ils passent près d'elle et pour qui elle multiplie les couchers de soleil afin de leur arracher des sons admiratifs. Pour moi, il ne sert presque à rien de travailler et le mieux à faire est de ramasser les fruits trouvés à portée de main. Pour les hommes de ma race, la petitesse de l'oasis frappe le sort du monde et en réduit la valeur à une jouissance de saison de pluies. Nous ne pouvons rien construire, car partout le sable fait sentir son message et se rappelle à nos campements. Race de périple, pourquoi donc faire d'une île nue une œuvre et en labourer la terre encerclée par la finitude, le provisoire et les vents ? Pourquoi se fatiguer à réparer ce que Dieu lui-même n'a créé que pour y chercher son image, un instant, avant de se détourner définitivement ? Pourquoi travailler ?

Vous savez, l'île vue par un Vendredi arabe n'est pas la même que celle de votre histoire. Là où vous verrez des palmiers, lui ne verra que le désert qui va avec. Et là où vous pensez vous reposer de votre univers avant de le reconstruire en plus confortable, lui n'y vit qu'enfermé et piégé par les eaux salines.

Il n'y a rien à voir sur une île sauvage pour le sauvage qui n'arrive pas à la quitter.

CINQ

Ma chute fut une merveille : je sentais mon turban se dérouler de plus en plus vite, s'allonger derrière moi comme une queue de comète en coton, faire le tour de la terre et s'étendre en longueur pour disparaître dans le cosmos comme une corde infinie, tendue vers un dieu noyé au fond de son œuvre. Je sentais aussi ma robe claquer violemment dans le vent, coller le long de mes jambes maigres puis se déchirer comme une voile de navire et me laisser nu comme après un accouchement céleste. J'opérais quelques mouvements et jouais même à la cigogne en étendant les bras comme des ailes, tentant de donner l'allure d'un vol à une chute dure. Ma première pensée, au cœur même de la joie, fut celle-ci : « Qui va me croire ? » J'avais pour une fois une belle histoire à raconter, mais à personne d'autre qu'à moi-même, comme un prophète sans peuple.

La vérité est que l'île était déjà là avant même que je ne m'y écrase, émergeant millimètre par millimètre depuis des années. Vue d'en haut, elle s'étalait autour de moi comme une onde mourante et je n'avais aucun instrument, aucune langue ni aucun moyen pour l'indiquer aux autres. Je savais que je venais de franchir ce mur qui partage le monde en apparences et en nudité. Vous savez, cette ligne qui vous donne à voir le monde sur un écran et qui, une fois franchie, vous plonge dans l'étrange circuit des pèlerinages et des évanouissements. Je tombais, virevoltant comme une feuille, riant presque de voir disparaître mes babouches dans mon sillage et se disperser le seul livre qui accompagne l'Arabe de sa naissance jusqu'à sa mort. Feuille par feuille, confondant dans son éparpillement les omoplates de chameaux, les vieilles peaux de bêtes et les papyrus sur lesquels il avait d'abord été patiemment retranscrit avant la mort de ses récitants. Je voyais le livre de ma vie et de ma mort se défaire à toute vitesse, et ses pages tourner follement, cherchant la formule pour arrêter le temps.

Dans ma chute, je perdais même ma propre langue et tombais vers un monde nouveau. Je me dénudais, me disloquais en sifflant comme une pierre céleste venue frotter sa glace à l'atmosphère des hommes. Dieu que j'étais heureux ! Ma très ancienne peur de l'altitude avait laissé place à un rire de fou qui, après avoir tenu tête au vertige, en dépassait la frontière pour déboucher dans une formidable clarté.

Je jouai ainsi longtemps au cerf-volant durant ce vol Paris-New York, qui dura dix heures trente minutes, mais ma chute du haut de cet avion dura un temps que peu de gens connaissent dans leur vie sauf par saccades, accidents, orgasmes, chance ou par le sacrifice de bien des choses : le temps sauvage des commencements. À la fin, je suis tombé à l'endroit même où j'étais né, mais cette fois-ci sans personne autour de moi. J'avais perdu la foi en ruminant cette seule phrase : « Si Dieu existe, pourquoi doit-il jeter au four les trois quarts de l'humanité qui le cherche autrement qu'en suivant un chameau ? » C'est le caractère infantile de la punition par le feu, comparée à l'effort des hommes pour bâtir des gratte-ciels et inventer des avions, qui me fit perdre confiance, m'arrêter au bord de la route des miens et douter d'un coup de toute l'histoire.

Cela a commencé bien avant mon voyage en Amérique. Déjà, de mon regard, je cherchais sur quoi reposaient les minarets et pas ce qu'ils semblaient indiquer du doigt inlassablement. Ainsi a commencé à naître autour de moi cette solitude de l'homme qui ne croit plus. En racontant cette histoire, je me souviens soudainement d'un moment pénible de mon enfance : le maître du cours de musique m'obligeait à chanter en chœur un hymne dont je ne savais pas les paroles faute de les avoir apprises par cœur la veille. Je crus m'en sortir en jouant à ouvrir et fermer la bouche en cadence, mais une jeune fille assise à la première rangée me dénonça. J'eus droit, non pas à une île mentale, mais à quelques coups de baguette pour tromperie. Presque trente ans plus tard, je faisais face au même problème, la bouche ouverte sur des prières qui ne me convainquaient plus, seul parmi une foule qui ne remarquait pas mon silence. Qui aurait pu cependant l'entendre ? Personne : chez nous, Dieu est revenu en force et pèse de plus en plus lourd sur le dos de ceux qui se disputent pour le porter. Le pire est que même de l'autre côté du miroir, dans le pays de l'homme blanc, ce silence reste invisible et ne s'explique pas. Songeant à sauver l'âme de son sauvage, Robinson interroge Vendredi sur son créateur. « Une sorte de vieillard encore plus vieux que la mer, la terre ou la lune et les étoiles et chez qui tout le monde va lorsqu'on n'a plus où aller après la mort » répond le sauvage. « Toute chose lui dit : Ô ! », traduit l'homme blanc. Je vis dans un pays qui se lève et se couche en criant « Ô ! » là où moi je fais semblant de crier avec les autres. Vous comprendrez pourquoi si j'ai parfois accueilli des hommes blancs sur cette île, ils ne l'ont presque jamais vue. La plupart repartaient très vite chez eux avec les mêmes masques africains qu'ils avaient apportés et qu'ils croyaient avoir achetés ici, chez nous, au sud de toute chose civilisée, otages de leurs propres images.

La chute ne signifiait cependant pas seulement l'apesanteur dont j'ai toujours rêvé depuis l'enfance : elle était aussi appauvrissement. Il faut être arabe, et l'avoir été longtemps, pour comprendre ce que je vais maintenant raconter : j'étais, pour une fois, débarrassé de ce formidable poids du dieu invisible – héritage des juifs, obligés de voir le monde non pas comme un récit ou une petite histoire que Dieu se raconte à lui-même, mais comme une obscure énigme, un langage de feu se consumant indéfiniment –, échappant à ma langue et à celle de tous les hommes réunis, immergé dans un vaste calcul avec le poids d'une minable virgule, sans réponses ni interrogations. Pour une fois, j'avais l'occasion de vivre les commencements à chaque instant de ma chute, et celle de ne pas être coincé comme le milliard restant de ma race entre une vie antérieure qu'ils n'ont pas vécue et une vie postérieure qui ne serait consommable qu'après la mort. Je ne ressentais plus cette culpabilité congénitale qui rend immangeables toutes les pommes du monde ou ses figues, et la vie n'était plus un repentir, ni la peur de l'enfer, ni une réclusion loin de sa face éternelle, ni un crime à expier : je n'avais pas mangé la pomme, je n'ai jamais mis les pieds dans ce jardin et je ne devais ni ma misère ni ma splendeur à l'histoire de Dieu mais à ma propre histoire seulement. Tout cela, je le sus au moment même où lentement je glissai par le hublot comme une fumée. Dieu devait s'en sortir seul, tout comme moi, et devait, lui aussi, faire sa moitié de chemin pour me rencontrer ou me retrouver.

Je me rappelle l'une de mes découvertes quelques années avant ce voyage, et qui déjà traçait ma voie. J'étais dans mon bureau à attendre la fin de la journée comme on attend un générique de film lorsque brusquement, sans le concours de l'intelligence ou de la raison, je compris que j'étais l'idiot de la tempête : dans presque toutes les religions, ce sont les anges, les dieux, les diables qui tiennent le crachoir au-dessus de l'homme qui tire la charrette. Pourtant, j'étais le seul à mourir et à naître douloureusement dans toute cette histoire bavarde. J'étais le seul à payer et j'étais le seul promis à l'arrachement comme à l'absurde. Pire ! J'étais le seul à devoir gagner sa vie et à devoir la perdre. Pourquoi était-ce donc à moi de les supporter sur mon dos ? Ce n'est qu'après la chute, au moment même où je me donnai le nom illustre de Vendredi, que je compris que l'île était absolument déserte et qu'elle ne pouvait être peuplée que si je le décidais, ou alors seulement par mes propres peurs et espoirs. Parfois, la tête en bas, tourné comme le pendu des tarots, je regardais les étoiles fragiles, à cette altitude où le jour et la nuit sont des ébauches, et je me disais que l'énigme est encore plus terrible lorsqu'on regarde par-delà le ciel habituel. J'y étais encore plus seul, tremblant, nu face à une île encore plus gigantesque, elle-même piégée par une mer encore plus inimaginable. Quel nom pouvait-on se donner lorsqu'on était victime de ce genre de naufrage encore plus absolu ? Je ne le savais pas. Peut-être le nom de l'une des divinités des temps anciens.

La question pour moi était nouvelle et déchirante et j'en pleurais presque : heureux d'avoir connu la délivrance – déjà rare pour l'homme et presque impossible pour un Arabe comptable du dernier monothéisme sur la liste –, mais déjà nostalgique de ce monde où Dieu était quelque part derrière le mur du ciel. Nous avons le désert, il promet le paradis et cela je ne pouvais l'abandonner juste pour me sentir plus léger dans les airs. Soudainement hérétique à quelque onze mille mètres d'altitude, j'avais perdu le paradis, il ne me restait que le désert impossible à résoudre. Arabe, je lâchais le monde de ce dieu qui avait grandi avec moi, un dieu que j'ai longtemps nourri de mes mains, et cette religion qui longtemps m'expliqua qu'il ne fallait pas regarder en bas pour ne pas avoir le vertige, tout cela pour un monde qui n'était ni pire, ni meilleur, ni même connu et dont l'enjeu n'était pas mon salut mais sa propre combustion, sous le souffle de quelqu'un d'invisible. Que se serait-il passé si le Vendredi d'autrefois avait débarqué sur l'île de l'homme blanc avec un pantalon, un sextant, l'usage de la langue du monde, un livre de chevet? On peine à se l'imaginer. Un Vendredi se doit d'être un sauvage. Tout autant qu'un Arabe se doit être l'homme d'une seule religion. Sans cela, il en serait invisible aux yeux du Blanc, trop proche pour servir à un faux dialogue, et sans intérêt pour cette enquête sur l'âme qui s'ouvre avec le récit de Robinson. Écrire ce genre d'histoire sert à l'homme nègre à devenir blanc, puisque ce dernier est rarement intéressé par le chemin inverse. Reste la grande question : une « vendredinnade » est-elle possible comme le furent toutes les robinsonnades écrites depuis des siècles? Non.

SIX

Vous savez, on peut suspendre sa vie de la même manière que l'on se pousse vers le sommeil en ramant avec ses orteils : la meilleure manière de dormir très vite est de se souvenir de quelque chose, puis de laisser ce souvenir se souvenir d'autre chose et ainsi de suite. On sombre ainsi sans savoir qui dort ni même si l'on dort.

Avant de voyager vers l'Amérique et d'y perdre la foi dans un trou plus grand que le World Trade

Center, j'étais un fervent croyant dont la religion avait commencé à l'éveil de la sexualité. Est-ce vrai ? Peut-être que non.

Je me souviens de cette sauterelle que j'ai long-temps regardée à l'âge de quatre ans, hésitant entre l'envie banale de l'écraser avec une pierre et la découverte de ce que pouvait être la culpabilité si je le faisais. Tout comme moi, elle était restée long-temps immobile, accrochée au mur blanchi à la chaux. La cour de la maison était vide et l'heure de la sieste avait endormi les adultes. Je me souviens que ce qui retint mon geste fut la peur de brûler dans cet enfer dont je venais de découvrir l'histoire ter-rible dans la petite école de la mosquée voisine où l'on m'envoyait apprendre le Livre sur des tablettes. Cette peur devait durer presque trente ans et finirait par se transformer en une sorte de corbeau sale se dandinant comme un estropié sur ma tête, me dic-tant mes actes.

Vers l'âge de douze ans, je me mis à prier et à me laver l'entrejambe presque cinq fois par jour en dis-ciplinant ma vessie et mon regard qui commençait à apprendre à faire du feu en suivant les hanches des jeunes filles au collège. Le vertige fut profond et brutal : le désir de pureté me mena à des extrêmes qui longtemps désordonnèrent ma vision du monde.

Bien sûr, pour l'homme blanc, il importe peu qui je suis : je peux être égyptien, jordanien, maro-cain, il s'agit du même portrait et de la même his-toire. Nous sommes tous des Vendredi au pays du Samedi-Dimanche. Et c'est presque vrai : le village de mon enfance, sa façon de s'entourer de champs et de chiens, de chercher l'eau, de vivre avec les animaux et d'en vivre, et de lentement descendre le cours du temps en descendant les uns des autres avec les même prénoms répétés, se retrouve partout. Au village, nous avions la mosquée, les récitants du Coran que l'on voyait les jours de fête ou d'enterrement, une route qui nous liait au reste du pays, un cimetière et un maire qui représentait l'État et le ciel : nous devions nourrir le vide par notre foi et un incroyable foisonnement de détails sur les jardins occultés du ciel, reproduisant sans le savoir l'ébahissement fondateur de l'Arabe du désert lorsqu'il vit pour la première fois, il y a des millénaires, des jardins perses, et qui en fut tellement marqué qu'il inventa toute une religion.

Ma mère était la fille d'un agriculteur aisé, et mon père eut la chance d'apprendre à lire et à écrire avec un enseignant blanc, en vécut jusqu'à l'âge de sa retraite, avant de s'abandonner à la contemplation des murs à travers lesquels il était le seul à pouvoir passer et repasser sans cesse pour s'occuper sans bouger. Vous pouvez m'imaginer autrement : un enfant né au bord du Nil, cherchant les serpents dans la glaise pour en nourrir ses chiens, un jeune vendeur de cigarettes au Maroc ou un Arabe tout court, avec ses chèvres, son palmier, sa cruche d'eau posée sur le dos de sa sœur cadette, ses pieds nus et sa petite ruse d'apprenti voleur. Vous avez ma biographie depuis longtemps déjà : je suis venu au monde pour la chausser et vous suivre du regard, de loin, de derrière les vitres des bus, voitures, avions et autres moyens d'enjamber une partie du monde en prenant des photos fantastiques. Elle remplace déjà mon histoire comme Vendredi a remplacé le problème des premières colonisations de contact.

Passons sur le souvenir du voyage et la petite découverte du jeune Akhmed dans les parages de l'hôtel où on est venu goûter aux nourritures terrestres : aujourd'hui le jeune Akhmed a trompé votre bonne foi. Descendu prestement du dos de sa chamelle qu'il sodomisait parfois avec son sexe ou des allumettes, il a couru prestement vers le plus proche aéroport, atterri chez vous, pris son temps pour changer de teint et perdre un peu d'accent, s'habituer aux pantalons et aux chaussures, apprendre à piloter, prendre un avion et aller le faire exploser dans une crèche d'enfants qui ne lui ont rien fait. La fin de l'histoire n'est pas l'utopie mais une cassette vidéo sur laquelle le jeune Arabe va expliquer son geste. N'expliquant rien du tout.

Vous pensez donc savoir aujourd'hui pourquoi je pris le nom vacant de Vendredi ?... Eh bien vous vous trompez.

C'est parce qu'au lieu de faire exploser l'avion comme vous vous y attendiez, j'ai préféré me jeter dans le vide, et vous raconter mon histoire le temps que durera ma chute.

Mon enfance avait donc mal fini : au lieu de déboucher sur la jeunesse, elle bifurqua vers Dieu et s'interrompit sous la forme d'un arbre mort. Je me mis à adorer Dieu avec ferveur, j'appris à réciter son nom avant de manger et avant d'entrer dans les toilettes, de serrer une main, de dormir, de me réveiller et avant d'acheter quoi que ce soit, de prendre le bus, d'ouvrir un cahier, de boire de l'eau et, finalement, avant même de commencer à vivre. J'appris par cœur une bonne partie de son unique Livre et je devins affreusement zélé, accusant les adultes – ces vieilles gens de mon pays qui avaient la religion calme comme une eau morte – du crime de tiédeur ou même d'hypocrisie… Je devins assidu à la mosquée, me levais avant l'aube pour faire mes ablutions à l'eau froide, jeûnais aussi souvent que je le pouvais et anesthésiais mes sens pour y parvenir. Au lycée, je fis un jour scandale en arrivant vêtu d'une vieille djellaba à l'image des Compagnons du Prophète, dérivant déjà vers le culte de l'exemple qui tue, l'ascèse et les premiers appauvrissements volontaires. Je me souviens par exemple du jour où je pris la décision de mettre un petit caillou dans la bouche, entre les heures de cours, pour éviter « la parole inutile » et goûter au silence « qui est déjà une façon de prier Dieu » comme l'expliquent des livres écrits il y a longtemps.

Dès l'âge de douze ans et jusqu'à mes dix-sept ans, je connus tous les folklores de la purification : les compagnonnages dans les campements islamistes de l'époque, la terreur de l'enfer dont j'appris par cœur la géographie, l'obsession du diable, les scrupuleuses imitations des ancêtres, de leurs gestes et costumes tels qu'ils étaient décrits dans les vieux livres du Xe siècle, la peur et l'envie de mourir pour rencontrer Dieu et l'aider à chauffer l'enfer ou à tondre les pelouses du paradis en attendant le Jugement dernier. Il m'est même arrivé de sentir des débuts de ravissement en multipliant les prières et les repentirs pendant les heures où le reste des jeunes de mon âge donnait des noms de jeunes filles aux papillons. Bien sûr je connus l'affreux éveil de la sexualité et les envies furieuses de voir les femmes nues et offertes. Mes faiblesses me faisaient alors pleurer de dépit et de découragement, mais très vite je retrouvais la sérénité et l'apesanteur maladive en ouvrant le Livre dont je réalisais peu à peu le miracle sans en voir le pitoyable paradoxe : les paroles d'un dieu éternel, dont le choix de la langue et des mots éliminait tout le reste des compositions possibles, frappait de nullité les autres langues et condamnait tous les autres livres à n'être que des explications ou un chœur discordant. Un livre dont la finitude matérielle, le nombre de pages et de syllabes, la reliure et l'odeur étaient la preuve contradictoire et irrecevable de l'éternité de Dieu et, bien sûr, la contradiction était lamentable entre ce que prétendait être cette parole et la langue choisie pour se suicider, mais à cette époque, je ne pouvais ni le voir ni le comprendre : je suis né après des millions d'autres mystifiés qui ont fait pire que moi avec ce Livre. Coincé comme des milliers d'autres qui avaient abouti à la même intuition incommodante, je fus sauvé par l'ancienne doctrine du Livre éternel.

OUM EL KITAB : La Mère du livre.

Le Coran était tous les livres et tous les corans ne sont que la réédition, dans le monde de la finitude, d'un seul original que l'on ne peut lire sans l'avoir précédemment vécu.

Si je me souviens bien, c'est la lecture, avant mes vingt ans, de « La revivification des sciences de la

religion » d'Al Ghazali, un étrange philosophe du
IXᵉ siècle, qui me poussa vers une nouvelle et déli-
cieuse direction. Je me mis à lire le Coran autrement
et j'y découvris une seconde route : celle qu'ou-
vrait l'interprétation, et le soupçon qui infirmait les
apparences et les réduisait à de futiles épreuves sur
le chemin. Je connus les palpitations de l'enquêteur et la patiente solitude du pèlerin qui ne discute
qu'avec les signes et les présages. J'appris à aimer
la senteur moisie des tapis de mosquées. À l'âge des
masturbations frénétiques, je ne souhaitais plus que
la mort avant de commettre encore plus de péchés,
pour me retrouver au paradis, à parcourir sur un pur-
sang l'ombre de cet arbre que la tradition dit être si
immense que l'on ne peut en traverser l'ombre en
moins d'une année. Ce jardin était si réel pour moi
que je cessai de voir la misère des miens et la pauvreté du pays où je suis né. La nuit, j'imaginais ses
sources d'eau et ses femmes dociles. Sa splendeur
était telle que la laideur frappa tout le reste de ce
que je regardais du haut de cette vérité.

La violence ne naquit en moi que plus tard : c'est-
à-dire lorsque je me mis à réfléchir à l'imbécillité
des gens qui, au lieu de se préparer à vivre mieux
en mourant plus vite ici, s'acharnaient à ramasser
du pain moisi en se détournant de l'unique chemin qui pouvait leur offrir tout à la fois l'éternité,
la main bienveillante de Dieu et le salut. Il suffisait
pourtant d'obéir à Dieu, de ne pas s'éloigner de la
corde qu'il nous tendait, de ne pas s'attarder sur les
illusions de cette vie et de rebâtir l'antique Médine
où le prophète avait vécu nu et pauvre, précisément

pour mieux alléger le fardeau de son voyage. À cette époque je lus tout ce qui me tombait sous la main des livres de la tradition, je devins presque un idéal pour les gens de mon village qui admiraient ma piété et la force de ma foi. J'appris à répondre aux hypocrites et à souhaiter le martyre qui demeure le plus court chemin vers le paradis.

Vous voulez savoir jusqu'où peut mener le délire d'un homme pressé ? La tradition raconte qu'à la fin des temps, un homme viendra de l'Ouest, c'est-à-dire de l'Occident, parlant la langue de la vérité, capable de faire des miracles, d'ordonner à l'herbe de pousser selon sa volonté et qui trompera énormément de monde sur sa nature de messie. Les plus sincères le reconnaîtront à son œil unique de cyclope séduisant et lui résisteront en récitant des prières et en fuyant vers le ciel à tire d'ailes. Il est dit que parmi ces hommes, un seul résistera. Découpé en petits morceaux et même démembré sur un rocher en Palestine, écartelé et torturé jusqu'à ressembler à un chiffon menstruel, il n'abdiquera jamais sa vraie foi et incarnera l'échec de cette mystification : il sera, sur l'échelle des morts pour Dieu, le plus grand des martyrs.

En 1987, seul dans la mosquée à cette heure, à l'aube, où Dieu, dit-on, descend vers le ciel le plus bas pour écouter les insomniaques, je priai longuement en pleurant toutes les larmes de mon corps afin qu'il me choisisse pour cette épreuve. Je connus d'autres maladies, encore plus graves : il m'est arrivé de passer une nuit entière au cimetière, allongé dans un sillon pour apprendre la leçon de la mort ; une autre fois, au crépuscule, revenant de la maison de mes cousins en haut du village, je me mis à courir en hurlant que la fin du monde était là, le cœur battant et la mémoire affolée parce que j'avais assisté à un coucher de soleil inhabituel. En réalité, ce jour-là, un gros cumulus cacha long-temps le soleil qui ne surgit qu'au dernier moment avant son coucher, donnant l'illusion qu'il se levait à l'ouest. Signe unique et irréfutable de l'annonce du jour du Jugement dernier comme chaque musul-man le sait depuis l'enfance. Ce jour unique où le monde sera désossé par le son du cor céleste et mis en morceaux par le cri unique de l'ange de la mort obligé de recueillir jusqu'à sa propre vie pour clore la création.

J'avais à peine vingt ans donc, et l'unique affaire de ma vie était la fin du monde et la résurrection de tous les morts pour ce rassemblement extraordinaire devant lui, chacun avec un long papyrus où seraient inscrits jusqu'à ses battements de paupière, évitant le regard de ses propres parents, débarquant au tri-bunal, qui traînant comme un pendu sur son propre visage, qui rampant sur le sol pour supplier Dieu de comprendre qu'il n'a été qu'un homme, qui appe-lant à l'intercession de ses prophètes eux-mêmes affolés et courant entre les groupes de leurs fidèles, qui arborant le signe de l'élection, à l'ombre d'un nuage tendre tout près du trône. Ce jour *où le soleil raclerait les crânes*, la soif serait absolue et l'eau, un souvenir terrestre, un bruit au paradis.

Au lycée, face au professeur qui s'escrimait à nous inculquer les bases de la science, j'avais la tête ailleurs, émergeant déjà de l'autre côté de cette histoire, entre la poussière des piétons ressuscités et des fidèles priés de continuer leur chemin vers les verdures promises.

Homme blanc de mon île, comprenez-vous quelque chose à ce délire ? Non ?

Vous ne pouvez décidément rien comprendre à notre enfer et à l'exception de mon cas, échappé d'une folie ancestrale, tombé d'un avion, sur une île unique que rien ne laisse deviner dans le tracé des cartes marines, devenu apostat discret dans une tribu où tout le monde ne parle que de religion, cependant que le reste de l'humanité ne fait que répondre en brandissant d'autres divinités plus sournoises. Je n'ai pas choisi le nom de Vendredi par hasard pourtant : il désigne un jour particulier de la semaine, selon notre calendrier à nous, fabriqué à base de lunes scandées et de croissant surveillé à l'œil nu pour éviter les tromperies de la science. Ma première œuvre, après voir survécu à mon voyage vers l'Amérique, aurait pu être un formidable rire comme celui qui secoue certainement le Créateur et qui est la seule compensation possible à l'absurdité de notre condition d'Arabe dans un monde qui ne l'est plus. Un grand rire qui remplacerait l'eau de toutes les ablutions imaginaires et ressusciterait les morts. Mais je n'en ai pas encore le courage : mon cas est trop unique dans la foule qui vous fait face, et vous ne saurez jamais partager mon sort, même si nous ne sommes plus que deux à nous faire face. L'un tournant le dos à son monde d'origine, et l'autre y cherchant sa photo.

SEPT

Imaginez cette fois-ci un homme qui a peu vécu mais qui est vivant depuis très longtemps et dont le sort était un jeu amusant faute d'être un destin énigmatique : chaque fois qu'il s'endormait le soir, il se réveillait dans un autre monde que le sien, à l'intérieur d'une vie étrangère, parfois avec une femme à ses côtés, d'autres fois sous le toit d'un palais et parfois même sur les bords de la route crevant de froid et de faim. À la fois brigand affamé, savant isolé, négociant familier des géographies, bureaucrate vidé de lui-même, étudiant torturé par le flou du monde, veuf mais sans souvenir d'aucune femme, ascète confronté à un fruit offert...

Au spectacle de cet homme traversant les âges et les vies avec pour seul don son sommeil, on pourrait penser que sa vie a été une fabuleuse aventure : il aura vécu mille vies au lieu d'une et connu mille mondes au lieu d'un. J'étais donc comme cet homme : il y a eu des moments où j'ai lutté de toutes mes forces contre l'endormissement pour éviter de perdre une femme aimée et qui allait disparaître, un fils me ressemblant que je savais n'être qu'un moment, et un lieu de paix qui allait être replié comme un tissu à la fin du spectacle.

Et il y eut d'autres moments où tout ce que je souhaitais pour échapper à quelque village sinistre, métier usant ou parages desséchés et misérables, c'était juste un sommeil de plomb pour me réveiller le plus loin possible de cet épisode, même réincarné en scarabée. Je range les événements de ma vie selon cette échelle, chacun dans une colonne distincte : Faïrouz, la seule femme que j'aie aimée, fut le rêve qui m'échappa parce que je m'endormis un instant sur son épaule dans le train qui nous ramenait de l'université à la ville. Mais mes années d'université et d'instituteur sont à ranger dans la catégorie des moments où j'aurais voulu dormir longtemps pour enjamber le plus de siècles possible.

Si, en fin de compte, j'ai eu une enfance lumineuse qui m'aide, même aujourd'hui, à me fabriquer des aubes aux pires moments de la journée, ma puberté et ma jeunesse furent des âges sales, encombrés par le remords, le poids de Dieu, la masturbation effrénée et l'ennui qui, pour moi, suivait l'éjaculation et qui, pour le pays, a suivi l'indépendance et la victoire sur l'homme blanc. Durant ces entre-deux prières, quatre récitations, une longue méditation sur le livre et une autoflagellation, il arrivait que le monde réel, tel un bélier, fonce sur moi, les naseaux en feu, pour m'écraser de son poids, me piétiner comme une mauvaise herbe et me réduire à la boue qui colle à ses sabots. Mes dix mille ablutions et vingt-cinq mille prières et implorations n'empêchaient pas le cadavre de ma propre vie de remonter à la surface et de surnager avec ses grands yeux crevés, tournant vers le ciel un visage d'enterré vivant. Je sombrais dans ma propre religion : je ne pensais qu'à trouver une façon de rejoindre le Prophète dans son éternité et à participer au retour vers les âges où l'islam n'était pas un exil mais une victoire et une conquête. Je découvris lentement cet exil dont se réclament les plus durs de ma religion et qui leur fait voir le monde d'aujourd'hui comme une scandaleuse insoumission à la volonté de Dieu. Cela démantela mon petit univers, m'éloigna de mes propres parents et proches dont je commençais à juger sévèrement la piété trop tiède et à moquer la petite religion quotidienne et les croyances peureuses.

Lorsqu'on voit l'Amérique pour la première fois, on ne revient jamais chez soi : le monde entier se transforme en périphéries entourant l'unique capitale de la Création comme un bidonville plus ou moins vivable, et vous perdez du coup la première certitude de votre vie : celle qui vous faisait croire que votre lieu de naissance est le centre de la création. Mais à l'époque où je découvrai Dieu comme un dieu vivant, le village était déjà si triste et si plat qu'il n'avait plus d'issues praticables depuis fort longtemps. On en sortait rarement et on y revenait toujours la tête courbée. On pouvait certes partir, aller vivre ailleurs, allonger la route de la fuite, mais le village restait là, au même endroit au fond de la cervelle, fermant les voies, rapetissant l'envie de vivre, enlevant le courage de sauter le mur, imposant sa propre version d'un vieux caillou resté au fond d'une rivière qui n'existait plus.

On comprendra alors que dans l'un de mes rêves les plus fréquents, la nuit, était cet épisode gênant où je me voyais, à la sortie de ce hameau, rater le bus, le train ou manquer d'argent pour entreprendre le voyage. J'étouffais comme un noyé en me fabriquant une haine et une colère immenses. Dans ce village, tout nous rappelait notre enfermement : les arbres y étaient chétifs, l'herbe naine, l'eau incolore et incapable de refléter le ciel et les histoires si pauvres qu'elles ressemblaient à des chiffons.

Le village n'avait pas toujours été ainsi, satellisé, tournant autour d'un souvenir de la terre, gris et incapable de déchiffrer sa propre plaque tant il croyait le reste de l'humanité défunte : comme tous les autres villages, il perdit sa liberté avec l'Indépendance et le départ du Colon, cet homme blanc qui le traitait comme un âne mais le pensait quand même vivant. Il y eut une époque où l'on pouvait surprendre des arbres discuter et croiser un serpent qui vous demandait son chemin comme un vrai voyageur, raconte-t-on aux enfants en y croyant soi-même. La misère y était grande, les poux plus nombreux que les cheveux, le travail rare mais l'univers tenait encore debout, indiquait une direction dans le ciel, et les morts ne finissaient pas en cadavres mais en souvenirs capables de partager certains événements avec les vivants. La mort du village intervint beaucoup plus tard, à ce que racontent certains : l'Indépendance y amena certes des trottoirs, des poteaux, l'électricité, la chaux, les robinets et le travail assis mais elle y développa cette misère de l'âme, cette traîtrise et cette infamie fondamentale qui fit juger tout le monde par tout le monde comme menteurs au nom de je ne sais plus quelle vérité perdue.

Le village devint avare, balança ses ancêtres dans une fosse, s'acheta de nouvelles chaussures, coupa sa route et se vida de lui-même en doublant le nombre de sa population. Le Colon blanc disparu, les habitants du village se retrouvèrent non sans maître mais sans raison de vivre, obligés de se souvenir de leur propre servilité et de la cacher derrière la violence et le sarcasme. On comprend alors que, comme pour le reste du pays, le retour de Dieu y fit les ravages d'une drogue et que le ciel pesa soudainement. Je ne me souviens pas très bien du début de cette histoire, mais j'en vécus les lents changements comme beaucoup de jeunes de mon âge. Sans aucune nouvelle du monde vivant, dressé à haïr l'étranger et vomissant la terne récolte de la génération de mes parents et leur désœuvrement après l'Indépendance, je découvris alors la religion et sa fantastique explication ventriloque, ses vieux livres jacassant sur les traces de pas du Prophète, et ses gestes, et surtout un moyen de sortir du village et de son petit monde que l'on pouvait ramasser dans une seule main, jeter le plus loin possible et qui retombait lamentablement, et toujours, au même endroit. Avec ma découverte de la religion, il perdit en quelque sorte sa fatalité, s'enrichit d'une nouvelle explication et se transforma en une sorte de bagage sur la route à la rencontre de Dieu promise dans l'au-delà.

À seize ans donc, je redécouvris l'islam comme autrefois on découvrit le feu, et avec lui la clarté puis la laideur des parages, les vieillissements sans raison, la petite ruine de l'âme et la pauvreté. Surtout la pauvreté, et cette faim physique qui, lorsqu'elle est sans raison, rabaisse l'âme à la misère sale du reniflement. Quel âge avais-je donc vraiment à cette époque ? Je ne sais pas, mais je peux encore le mesurer un peu à sa bêtise. J'atteignis un stade – alors que j'étais encore lycéen forcé d'ânonner une histoire officielle morte – où je ne voyais plus l'univers que par le mauvais bout d'une paire de jumelles : infiniment loin, ridiculement petit, agité comme une fourmilière et pesant comme un rideau entre moi et ce dieu dont j'apprenais de plus en plus tout à la fois l'enfouissement sidéral et la proximité écrasante, au point qu'il m'arrivait d'éclater en sanglots en lisant le Livre saint ou en regardant tomber la pluie de sa miséricorde sur la poussière des hommes. Au plus fort de cette crise, où les heures d'école étaient pour moi une épreuve et les paroles des miens une hideur animale, je n'avais pour bonheur que l'odeur des tapis de la mosquée à l'aube, l'isolement des prières et la sensation de propreté que m'apportaient des ablutions maniaques. Il y eut même une période où je songeai à m'isoler dans une grotte creusée au nord du village, dans le flanc de son unique colline, ou à passer au moins une nuit par semaine dans le cimetière pour imposer à mes sens le spectacle de la mort, celui de la brièveté de ce passage sur terre, et rappeler à mon corps les affres qui attendent le croyant faible dans la tombe. Je lisais aussi sans me fatiguer, au point d'en apprendre une bonne partie par cœur, le Livre unique, les deux encyclopédies des dits du Prophète et les milliers de livres de ceux qui les ont commentés et analysés, au point d'aboutir à l'extase et à l'absurdité. Mes gestes s'en inspirèrent et je devins avare de mouvements, de déplacements inutiles et de paroles oiseuses qui nous viennent du diable.

Ces longs silences qui me donnaient les apparences d'un souvenir aux yeux des miens et

allégeaient ma présence au seul poids de mon prénom étonnèrent un peu ma famille mais personne
n'osa me faire de remarque, sauf mon cousin, orphelin de mère et dont l'engagement communiste faisait rire notre entourage. Il tenta longuement de me
convaincre de mes exagérations mais s'y prit tellement mal qu'il finit par me dire que j'étais tout
bonnement fou, exaspéré par ce silence que Dieu
m'avait donné comme arme contre les cœurs impies.
Comme l'homme blanc qui n'a jamais mis les pieds
sur cette île qui lentement m'a dévoré, il considé-
rait la religion comme un refuge ou un costume :
pour lui, comme pour l'homme blanc, on pouvait
facilement se fabriquer un dieu à partir d'un collier
de dents, d'une poignée d'encens, d'un orage terrible zébré d'éclairs et du souvenir de son propre
père et de sa propre peur devant la forêt de ses cau-
chemars. Il ne pouvait comprendre ma combustion
autour d'un feu qui n'existait peut-être pas, ni faire
le lien entre le village et mon besoin de l'enjamber
et avec lui tout le reste de la Création.

Je vivais lentement la croissance de la haine
pour des gens comme lui et pour le vaste cercle de
ce pays qui n'appliquait pas la loi de Dieu et tergi-
versait avec la vérité révélée. Tout m'apparaissait
comme une trahison, une insulte à la face de Dieu,
une ingratitude alors qu'il nous avait confectionné
le monde comme un vrai manteau. Je regardais tous
les livres comme de sournoises conversations qui
cherchaient à détourner le pèlerin de la vision juste
de sa vérité et essayaient d'effacer la voix de Dieu
sous un jacassement de marchands.

À l'époque, je n'étais évidemment pas seul à vivre cette folie : nous étions légion à marcher vers Dieu en tournant en rond avec nos petites barbes naissantes et nos collections de livres qui refusaient le monde. Je connus le cycle de ces enfermements volontaires, allant dans des camps d'été près de la mer où l'on s'efforçait de recréer la Médine illuminée sans se l'avouer, dormant un peu à la belle étoile, mangeant ce que nous préparions et jusqu'à ces rendez-vous dans les champs, autour d'un aîné, afin d'en apprendre un peu plus sur le Prophète et notre mission pour ramener le reste des nôtres vers ce chemin si droit que je sais aujourd'hui n'être qu'un mensonge et ce Livre dont je ne sais aujourd'hui que faire sauf l'emporter comme tous les miens partout où je vais. Je suis certes un peu injuste en parlant de ce temps-là comme d'une maladie : j'y ai connu la fraternité, la sobriété qui me rapprocha d'une ténébreuse liberté jamais retrouvée, l'amitié enthousiaste, la fragilité de l'aube lorsqu'elle vous appartient à vous seul, avant tous les autres, et la plénitude toxique de toute certitude lorsqu'elle est vécue comme vérité unique.

Je connus aussi l'envers de ce décor et les misères du corps lorsque, dans le sens contraire de la vie, on essaye d'en fabriquer un nuage libellé sous la forme d'un Allah calligraphique, une prière ou une bosse encombrante dans le dos de l'âme. Je suis donc ainsi passé de ce temps où le village, d'un cerf-volant mou, devint un tas de pierres aux pieds d'un haut minaret lancé vers le ciel comme une corde d'escalade cinq fois par jour. C'est une vision féroce que celle de ma religion d'autrefois : on y apprend à voyager vers Dieu en lui tournant le dos et à parler de Lui en parlant à sa place.

Je n'arriverai pourtant pas à vous faire retrouver ce chemin tordu qui me mena à entrevoir la bouleversante présence du monde et son énigme nette, comme une simple colline que je devais gravir, et dont la hauteur me cachait un dieu sévère et des jardins sans fin. Je compris aussi plus tard que lorsqu'on assassine le monde en soi, il est logique que tout le reste ne soit que cadavres à la dérive et ignorance immobile. Le jeune homme que j'étais avait hâte de raccourcir le voyage vers l'au-delà : le décompte des péchés et des actes louables, scrupuleusement notés par les deux anges juchés sur mes épaules, devint une obsession qui plongea le reste dans l'irréalité. Pour comprendre la gratuité de la mort chez nous, il faut peut-être se souvenir de la méfiance de l'Arabe envers son propre corps : le jour du Jugement, ce sont ses mains, ses pieds, son ventre, sa langue même qui vont accourir pour témoigner contre lui, le montrer du doigt et le repousser vers une nudité encore plus absolue, celle où le corps lui-même se retourne contre le nom. À cet âge, je pouvais déjà tuer en caressant avec compassion les cheveux du mort comme on le fait pour un malade qui a avalé un sirop trop amer, regarder la différence comme une incroyable outrecuidance, contempler des massacrés et les croire sacrifiés. J'étais dans l'absolue certitude de la vérité qui possède ce don sinistre de faire taire les voix de la création que chacun surprend dans sa propre tête lorsqu'il est seul. Elles se résumaient toutes à une seule, celle d'un dieu imaginé.

Cela dura longtemps, jusqu'au jour où je décidai d'acheter une cassette audio de Madonna, la chanteuse américaine créée par le diable, et de ne pas accomplir mon quota de prières du jour. Comment cela a-t-il pu arriver à un mort comme moi ? Je ne le sais pas. Même des années après, ce retour à la vie demeure pour moi une décision mystérieuse, peut-être explicable par les effets de la lune, la mécanique des marées, la biologie ou l'ennui mais pas par la volonté ou la raison. Ma décision allait faire date dans les annales du village. Elle m'attira les foudres de mes anciens compagnons, coûta leur foi à quelques-uns de mes disciples idiots, et étonna mes parents et mes proches. À vingt ans, je cessai de prier Dieu et m'arrangeai avec son voisinage et son poids en lui consacrant une seule épaule au lieu des deux. Je fonçais alors tout droit vers la terre pour y creuser un petit trou comme tout le monde. Le pays, lui, n'eut pas la même chance et sombra dans les violences que je portais en moi bien avant lui. À l'université, la question de Dieu se posa certes encore et encore pour moi, mais j'y répondais non par des excuses mais par des indolences et des insolences et quelques excès de discours propres à cet âge où l'on fabrique un univers avec son propre portrait. La question resta cependant en l'état, jusqu'au moment exact ou je pris l'avion vers l'Amérique et jetai un regard par le hublot qui m'avala comme une fumée et me fit choir sur l'île que j'avais créée en traçant une limite entre moi et les croyances des miens.

HUIT

Quitter Dieu, en tombant d'un avion, est aussi difficile que de quitter une femme aimée mais avec la
panique en plus et la rêverie en moins. Le jour, je
regardais le monde en face comme on regarde un
père qui vous a menti, mais la nuit, j'avais peur et
je revenais prudemment vers mes croyances pour
ne pas céder à la panique. Même aux heures les plus
audacieuses de mon insoumission, je récitais mes
prières avant de m'endormir dans le noir. Je le faisais au seuil des WC, dans les maisons vides et aux
premiers pas de la journée en allant vers mon travail. C'était ainsi : j'avais beau avoir raison, je n'en
avais pas le courage final. J'étais cependant bel et
bien piégé : sans issue, ni vers les miens, ni vers le
vaste pays de l'Occident. J'étais sur une île dessinée patiemment à la main mais presque jamais foulée du pied. Le comble ? Vous ne pouvez rien pour
moi. Ni hier, ni aujourd'hui, ni demain. Sur l'île de
sa cavale, le pauvre Vendredi ne devra son destin
qu'au besoin insolent de son maître d'avoir autre
chose à fréquenter que son propre écho. Robinson, dans ce cas-là, a été sincère : sa première histoire commence par une désobéissance parentale,
la seconde par un naufrage et la dernière par son
besoin de remplacer son perroquet sinistre, avant
de nous servir son récit sur l'âme d'un Vendredi en
attente du salut et du pantalon.

　　Est-ce un hasard si Vendredi est sauvé pour remplacer une volaille parlante et que son intrusion dans
l'histoire de son maître commence par le sauvetage

du corps avant celui de l'âme ? Que non ! L'univers est lui-même né de cette façon selon l'homme blanc. Robinson cherche Dieu, le remplace faute de mieux, et crée le reste de l'humanité au fur et à mesure de son propre récit. Dans le cas de Vendredi, il ne remarque pas qu'il a seulement fait changer son esclave d'assiette : Vendredi allait servir de repas aux siens, il est sauvé par l'homme blanc qui va user d'une autre forme de cannibalisme pour lui manger l'âme, la langue, les croyances et le costume. Il faut lire et relire sa prière à Dieu de lui accorder un amusement humain : « l'heure était venue de m'acquérir un serviteur, peut-être un camarade ou un ami », dans l'ordre et selon ses priorités. Vendredi aurait été cannibalisé d'une manière ou d'une autre. Comme Dieu, Robinson avait souffert de ne fréquenter que des volatiles et voulait une image parlante en guise de vis-à-vis, capable de peupler le monde avec une intrigue meilleure que le simple jeu de flash-back pour un être éternel.

Imaginez : vous êtes Dieu. Vous avez tout juste fini de créer le monde sous la forme d'une biographie alambiquée. Vous avez déjà réparti les tâches, les règnes, et les senteurs, les doses de pesanteur et découvert que le jeu serait encore plus amusant si vous y ajoutiez des règles absurdes, des limites contre-nature, des interdits contraires aux lois que vous y avez inscrites. Ce genre de règle qui oblige la créature à danser sur une seule jambe, à se lécher les oreilles et à marcher sur le bout du nez pour comprendre le sens de votre œuvre et le but de votre périple autour de vous-même. Le tout destiné à vous amuser et à entretenir autour de vous les bruits d'un faux voisinage. Imaginez que vous ayez les mêmes problèmes que Dieu et les mêmes complexes immobilités : l'éternité à regarder un miroir, à se chercher une image dans la fabrication des visages, une envie folle de sortir mais l'impossibilité d'aller nulle part puisque vous êtes le monde, ce qu'il contient, ce qu'il entoure et ce vers quoi il mène à chaque fois. Tous les chemins mènent à vous et vous, vous ne rêvez que d'une seule route qui puisse vous faire échapper à l'ennui, rencontrer quelqu'un d'autre en le fabriquant de toutes pièces et nouer une conversation avec un être qui doit apprendre votre langue à force de vous contempler. Vous êtes là, ne descendant de personne, ne pouvant remonter à plus haut que vous-même, empêché de casser votre unicité même en usant de tous les chiffres. Imaginez que vous ayez créé le monde comme l'on se fabrique un petit gadget qui fonctionne selon le principe du mouvement perpétuel, se suffisant à lui-même mais dépendant de la gravité qu'il ne voit pas, peuplé d'une interrogation qui en relance la palpitation sourde, coloré par deux ou trois océans, un palmier, une bibliothèque et des insectes affolés par les cycles. Imaginez que, après quelques instants de réflexion, vous y ayez ajouté l'amour et le halètement pour en assurer le mouvement et placé au bout, au cœur, à la racine, le souffle pour y rendre impossible le repos, et collé, enfin, votre plus belle trouvaille : la mort. Une belle énigme qui donne à la vie la forme d'une serrure et oblige les éléments à chercher l'assouvissement avant qu'il ne soit trop tard.

Imaginez surtout que ce dieu-là ce soit vous, l'homme blanc assis dans un rocking-chair titanesque, et que moi Vendredi, je sois la virgule qui trouble vos additions infinies, la créature qui refuse de jouer avec vous le jeu de l'esclave et de la corde, qui vous tourne le dos et dont pourtant l'histoire est meilleure que la vôtre, parce que la mienne ne commence pas par un figuier idiot mais par une île et parce que les meilleures histoires sont celles d'un voyage et pas celle de cette éternité qui ressemble tant à la mort ou à la momification solennelle. Imaginez surtout, que malgré votre immense pouvoir sur moi, le destin dont vous avez alourdi ma liberté, malgré votre immortalité dont vous ne savez que faire, et votre puissance, c'est ma propre histoire qui résume le monde et pas la vôtre, et que ce soit moi qui aie pris la parole pour ne plus la lâcher et que, seul sur mon île, je voyage encore et toujours pendant que vous, parce que présent partout, vous ne pouvez plus aller nulle part. Je me gausse déjà de cette fable et je peuple l'îlot de mes acrobaties et d'un fantastique rire dont vous êtes incapable parce que vous êtes Dieu, l'homme blanc qui n'a laissé aucun endroit dans l'obscurité à même de le faire rêver. Je suis votre Vendredi, serviable sauvage à l'âme animale, mais c'est vous qui peinez à apprendre ma langue et à retrouver un peu de ma nudité qui vous manque tant aujourd'hui.

Je le sais ! Il n'y a qu'à vous regarder ! Vous êtes partout mais je reste vainqueur par mon nombre et mes désordres.

Continuons donc cette histoire.

Je suis Vendredi, je suis perdu sur une île qui vous est inconnue malgré quatre siècles de navigation et deux tonnes de cartes marines dessinées par les conquêtes et la cupidité. J'y survis seul, après ma chute d'un gros avion de transport qui me destinait à découvrir l'Amérique, et pourtant c'est vous qui êtes prisonnier, entouré de toutes parts par les flots, craignant de rencontrer des pirates, de vous noyer sous les foules migrantes, parcourant la terre dans tous les sens pour la cartographier, recomptant les animaux de la création, prenant des photos de tous les règnes déchiffrés et piétinés, pesant les rocailles, décomposant les minéraux pour leur faire avouer leurs stupeurs immobilisées et regardant vers le ciel pour voir comment faire pour y déloger votre dieu. À la fin donc, c'est moi qui gagne : arabe, nègre, clandestin ou danseur recruté pour assurer les dépaysements manufacturés.

Les îles ? Justement, il n'en reste plus aucune, homme blanc : elles sont toutes mortes, disparues, effacées. Il n'en reste que des solitudes, quelques palmiers et la mer qui autrefois les cachait à la vue et les offrait au hasard. Il n'y a plus d'îles nulle part : la terre connaît tous ses recoins et les bouts du monde ne sont plus que ses propres orteils qu'elle examine lorsqu'elle enlève ses chaussures de voyage. Il ne reste rien à découvrir et peu de choses auxquelles donner le nom d'un navigateur et y planter un drapeau et la féroce idée du dieu invisible. C'est peut-être pour cette raison que vous recommencez votre histoire sur notre dos et que vous cherchez en nous le sauvage pour retrouver en vous l'explorateur. C'est toujours la même histoire : vous êtes les maîtres d'une île même si celle-ci n'existe pas. Vous arrivez un matin à surprendre trois sauvages dont l'un va servir de repas aux deux autres, vous tirez un coup de feu qui retentit dans tout l'univers. L'un des sauvages tombe mort, le deuxième fuit vers l'horizon et le troisième devient votre chose et pose votre chaussure sur sa nuque. Cela s'est passé autrefois, aujourd'hui ou demain. Avec un fusil, un avion de chasse, l'ONU ou selon le droit d'une intervention humanitaire. Vous faites cela au nom de l'humanité, de la sécurité ou des minorités. Celui que vous tuez est un meurtrier, celui qui fuit sera votre ennemi et celui que vous capturez devra apprendre à s'habiller, à manger ses aliments cuits, à faire de la poterie et à vous parler comme vous parlez à votre dieu : en cherchant où se trouve votre cœur dans le vaste ciel sachant qu'il change malignement d'endroit chaque fois que vous tournez le regard.

NEUF

Coincé dans le vaste pays de Ô où je fais semblant de prier parmi la foule en ouvrant et fermant la bouche sans produire un seul son, je reste donc invisible pour vous. On imagine difficilement un Arabe seul sur une île : d'abord les îles n'ont jamais appartenu aux Arabes et cela parce qu'un Arabe est toujours avec son dieu autour du cou, avec son verset favori au bout de la langue, sa cuvette d'ablutions. Les îles n'ont jamais intéressé les Arabes car elles étaient peut-être trop petites pour leur dieu et n'offraient rien à leurs chevaux qui avaient besoin d'espace pour éclore comme le vent. Pourtant je suis bien un Arabe et je suis bien perdu dans une île inconnue, tracée à la main comme un mandala pour me protéger du basculement majeur de ma race vers l'enfouissement et les charlatanismes faciles. Le voyage vers l'Amérique fut une épreuve pour ma nouvelle condition de paria : j'y connus une affreuse tempête tout comme un Robinson arabe parti voir le monde à partir de ses racines. De persistantes turbulences faisaient tanguer l'avion et chacun priait le dieu de son enfance et retombait lourdement à genoux face à son totem. Moi, devant un Allah scrupuleux, et eux, face à des forces plus proches de leur raison ou de leurs satellites.

Reste que la peur de l'Occidental, sa débandade, m'inquiétèrent plus que le tangage de l'avion et je me vis, un moment, coincé comme un traître entre ce que j'avais renié la veille et le courage que je ne pouvais avoir aujourd'hui. Durant ce vol, je priai Dieu et le suppliai de me sauver et lui jurai de ne plus jamais quitter le sol, son périmètre, l'ombre de mon propre père pour le reste de ma vie si je retombais vivant dans n'importe quel aéroport. Ces sages et vertueuses pensées durèrent aussi longtemps que dura la tempête mais une heure après, tout était plus calme, je commençai à regarder par le hublot le monde d'en bas. Pas celui que l'on croit, mais celui que j'avais laissé en prenant l'avion pour le plus long voyage de ma vie. J'étais un peu triste de quitter mes ancêtres et de les laisser tous dans un trou, mais déjà heureux de me sentir loin de leur regard, libre de tout faire, libre de manger toutes les viandes de porc du monde. Ce n'était ni la nuit, ni le jour mais un temps rare qui n'avait pas besoin de s'habiller d'un ciel pour signaler une période. J'avais les plus hauts nuages de la création sous mes chaussures !

L'avion était cet ange magnifique dont une seule aile, selon la tradition, pouvait s'étendre de l'est à l'ouest et recouvrir toute la Création. J'étais au cœur de cet ange qui ne tombait pas, hors de l'abattoir, suspendu entre ciel et terre comme une prière mais capable de me répondre à moi-même sans prêter ma voix à une autre divinité invisible. Je voyais les nuages, un peu la mer, je sentais mon corps en paix : ce fut un beau spectacle, le plus beau que j'aie vu de ma vie. Je sentais l'avion, qui la veille luttait contre le vent et la pesanteur comme un géant maladroit, glisser aujourd'hui comme un être vivant dans le corps d'une femme. Mon voisin américain m'adressa un sourire, l'air de dire « Eh oui ! », puis nous discutâmes en nous regardant et sans ouvrir la bouche. Pour moi, il était clair que c'était un chrétien qui croyait que Dieu avait un fils et donc un sexe et donc une faiblesse : je le devinais à son odeur de vieil Occidental propre et aux traces du sinistre dessèchement de ses émotions grégaires. Nous prîmes quelques verres d'alcool : aux côtés de l'Américain j'avais même un peu honte de mon dieu enturbanné, de mes peurs moyenâgeuses et de mes prières enfantines face au tonnerre.

Lentement, je pris le parti de ce compagnon de hasard et j'effaçai discrètement les traces de mes

serments de la veille, durant la tempête, en les sau-
poudrant de rires et de plaisanteries salaces adressés
au nouveau Vendredi que j'étais. Le bon sauvage tel
que je l'imagine à la fin de l'histoire de Robinson,
rentrant avec son maître vers un pays qui n'est pas
le sien, l'entrejambe comprimé dans ses pantalons
malcommodes, les croyances réduites à une seule
dent de jaguar accroché en collier autour du cou et
la langue défraîchie comme une ancienne jungle
remplacée par des cultures géométriques. Le bon
sauvage qui a dû s'apercevoir, poliment, qu'il était
entouré du ruban d'un sous-titrage cinématogra-
phique là où il essayait de serrer une main ou une
épaule. Cela était aussi ma condition dans cet avion
qui me menait loin de tout. J'avais beau essayer de
suivre ce que m'indiquaient mes verres d'alcool, je
restais coincé dans ma nationalité. Le gros-porteur
était, à lui seul, un vrai microcosme pour le pèlerin tordu que j'étais à cette altitude. Comme dans
le cosmos qui se trouvait sous mes pieds, onze
mille mètres plus bas, l'équipage était américain, la
langue était une femme étrangère et j'étais l'unique
vrai voyageur dans cet avion qui tournait autour de
la terre depuis des années déjà à la recherche de
l'Amérique et de sa capitale pour y atterrir. Tous
ces hommes qui m'accompagnaient avaient pris
le départ soit la veille, soit un peu avant, et j'étais
l'unique voyageur dont le périple ne se déclinait pas
en jours mais en siècles et dont le départ remontait
à trop loin pour être daté par un billet d'avion.

DIX

Je vis le premier l'Amérique mais je doute qu'elle m'ait jamais aperçu dans la foule des gens qui tombaient sans cesse du ciel. Je n'arrivais pas à croire, lorsque je vis New York pour la première fois de ma vie, qu'une ville puisse être plus grande que la planète elle-même et brasser des univers entiers comme s'il s'agissait de petits quartiers chinois. Vue d'en haut, cette planète renvoyait mes angoisses religieuses à la taille des mœurs de quelques insectes ignorés. New York nous fit disparaître, moi, mon Allah, mes minarets, la foule de mes ancêtres qui pouvait tenir dans un seul bus et mes turpitudes supposées en un seul instant, et replaça mon épopée sur l'échelle de ses gratte-ciels pour mieux m'aider à comprendre ma bulle de savon. Nous allions atterrir mais la peur que j'avais des Américains était si grande, et mes appréhensions si terribles, que je ne voulais ni ralentir, ni aller vers la terre, ni laisser tomber l'ancre, ni retourner chez moi les mains vides.

Ce fut à ce moment-là que commença ma chute loin de mon propre dieu tel qu'il me fut transmis par les miens. Lorsque je lâchai la corde, la profondeur du désespoir de notre condition à tous me coupa le souffle : ma seule ressource était de retenir ma respiration et de voguer vers l'espoir d'une côte et sa trace espérée au bout de cette histoire. La vague qui revint sur moi m'ensevelit tout d'un coup, dans sa propre masse, à la profondeur de vingt ou trente pieds, je me sentais emporté avec une violence et une rapidité extrêmes à une grande distance du côté du rivage. Je retenais mon souffle, et je nageais de toutes mes forces. Mais j'étais près d'étouffer quand enfin je me sentis remonter et quand, à mon grand soulagement, ma tête et mes mains percèrent la surface de l'eau. Il me fut impossible de me maintenir ainsi plus de deux secondes, cependant cela me fit un bien extrême, en me redonnant de l'air et du courage. Je fus derechef couvert d'eau assez longtemps, mais je tins bon ; et, sentant que la lame commençait à refluer, je coupai à travers les vagues et je repris pied. Pendant quelques instants je demeurai tranquille pour reprendre haleine. Puis, avec élan, je courus à toutes jambes vers le rivage. Mais cet effort ne put me délivrer de la furie de la mer, qui revenait fondre sur moi ; par deux fois, les vagues m'enlevèrent, et, comme précédemment, m'entraînèrent au loin.

Cela faillit m'être fatal car la mer me renversa ou plutôt me jeta contre un rocher, et avec une telle force qu'elle me laissa évanoui, incapable de me délivrer. J'étais sur le point d'expirer ; mais je retrouvai un peu de mon souffle avant le retour des vagues, et voyant qu'elles allaient encore m'envelopper, je résolus de me cramponner au rocher et de retenir mon haleine, jusqu'à ce qu'elles se fussent retirées. Comme la terre était proche, les lames ne s'élevaient plus aussi haut. Je me cramponnai. Puis je repris ma course, et m'approchai tellement de la terre que la nouvelle vague, quoiqu'elle me traversât, ne m'engloutit pas assez pour m'entraîner. Enfin, après un dernier effort, je gagnai la terre

ferme où, à ma grande satisfaction, je gravis facilement les rochers escarpés du rivage, et m'assis
sur l'herbe, délivré de tout péril et à l'abri de toute
atteinte de l'océan. De l'Occident. J'étais alors à
terre et en sûreté sur la rive ; je commençai à regarder le ciel et à remercier Dieu de m'avoir sauvé la
vie dans un cas où, quelques minutes auparavant,
il y avait à peine lieu d'espérer. Je crois qu'il serait
impossible d'exprimer ce que sont les extases et les
transports d'une âme arrachée, pour ainsi dire, du
plus profond de la tombe.

Ma délivrance était cependant affreuse. J'étais
encore plus seul que le dieu que j'avais fui et
l'homme blanc n'était plus là, ni pour me sauver,
ni pour me manger, ni pour raconter cette histoire, ni
pour que je remplace son perroquet. L'Amérique
a été pour moi la preuve que Dieu existe… mais
à la fin de cette histoire, pas à son début. Lorsque
je perdis mon dieu dans ce naufrage, je connus ce
qui l'avait toujours fait souffrir : la solitude qui le
poussa à fabriquer des prophètes, à envoyer des
livres et des cataclysmes et à inventer la mort et
le soleil. Peut-être qu'au fond la véritable histoire
de Dieu n'est pas celle de l'immobilité, mais celle
d'un naufrage encore plus ancien, une tempête qui
lui fit tout perdre et le laissa immortel dans une île
où il ne pouvait que passer le temps en le nouant
à la vie. Peut-être Dieu est-il lui aussi un drame et
que sa Création n'est que les restes d'un navire inimaginable. Après une longue chute dans les airs,
par-dessus les gratte-ciels et les peuples qui s'y
abritaient, à peine vivant dans une sorte d'espace

clos que je m'étais fabriqué pour attendre quelque chose de mieux que les folklores de ma race moisie, cette perspective me réconcilia légèrement avec lui et me fit comprendre un peu son invisibilité qui me révolte tant parfois. Cela pouvait expliquer pourquoi ce monde, malgré tous ses bruits, son histoire et ses nécessités, semble encore et toujours inhabité ou déserté lorsqu'on en fait le tour par le voyage ou la réflexion. Était-ce une île ou un continent? La question pour moi ne se posait plus. J'étais seul et il suffisait de regarder les autres pour l'être encore plus. Perdre sa foi lorsqu'on est arabe, c'est peut-être se voir jeté sur une île désolée, sans aucun espoir de délivrance, mais moi j'étais encore vivant. Je n'ai pas été noyé comme le furent tous mes compagnons de voyage. J'aimais entre autres ces chapitres où Robinson traçait, après son naufrage sur l'île, une colonne à gauche, le mal, et une autre à droite, le bien, c'est-à-dire qu'il évaluait les avantages de sa condition et ses misères. J'en aimais le décompte sec, le ton bref comme des additions de boulanger, le calcul simple et la naïveté utile.

ONZE

Pour ma part, j'ai arrangé ma vie comme je l'ai pu après ma chute : je me suis fabriqué un arbre, une chaise, une télévision et un palmier.

Quelque part, j'aime à me raconter des histoires comme celle du supposé sac à grains qui sert à Robinson pour renouer avec les ferveurs des fermiers de son siècle sur l'île, après qu'il l'a récupéré dans l'épave. Quant à moi, le sac aux grains ne me sert à rien : je n'ai pas de champ ni la volonté de faire des récoltes. Je ne fais rien sur cette île, je ne fortifie aucun mur, n'élève aucun bétail. Je regarde parfois le ciel et le trouve encore plus nu que moi. Je n'y cherche même pas Dieu, même si, parfois, j'entends les pas d'un errant derrière mon dos et crois entendre mon nom prononcé dans des recoins invisibles. Souvent, pour reprendre encore une fois cette histoire depuis son début, je m'empare de mon exemplaire du Coran et essaie d'y lire plus que ce qu'y relit ma race depuis des siècles. En vain pour le moment. Sans l'homme blanc, l'histoire de l'île est trop courte pour retenir l'attention : un sauvage y débarque avec les siens. Soit il se sauve puis meurt d'ennui ne sachant rien fabriquer de ses mains, soit il n'échappe pas à ses frères qui le dévorent. Dans tous les cas, sans l'homme blanc, il s'agit d'une histoire qui n'en est pas une. L'histoire est unique et ne peut se dérouler sans Robinson : c'est pourquoi Vendredi ne peut écrire un journal, sauver son âme, retrouver son dieu ou apprendre tout seul à porter un pantalon. Son aventure est impossible parce que justement on ne peut la comprendre, ni la raconter, ni la concevoir, ni s'y projeter. Vendredi ne peut pas exister, et lorsqu'il existe son aventure est totalement inutile parce qu'intraduisible. La seule possibilité d'en prendre connaissance est de rapporter comment Vendredi raconta son histoire à un homme blanc venu sur son île pour le prendre en photo, l'interroger sur ses prières et ses dieux ou copier sa façon d'épicer ses plats.

À la fin, l'homme blanc retourne chez lui et raconte son aventure : il devient célèbre et se fait un nom. Vendredi, quant à lui, continue à s'appeler Vendredi. L'autre possibilité est que Vendredi reprenne l'histoire de l'homme blanc, à sa façon, pour que l'homme blanc puisse entrevoir un peu de l'histoire de Vendredi à travers une sorte de clownerie élaborée.

Restent les miens : les peuples durs du vaste pays de Ô. Face à eux, je préfère jouer la discrétion et pas la révolution. La raison qui faisait que je n'allais jamais nu sur mon île n'était pas la pudeur mais un désir d'intimité : en vérité, je craignais l'ardeur des bûchers et la décapitation. Je trouvais qu'il était aussi idiot de mourir pour Dieu que de mourir pour l'avoir nié.

L'homme blanc ne sait pas le poids qui leste ce que je viens de dire ni ce que je risque. Il vit dans un monde où Dieu est comme lui : un paisible piéton, là où moi j'annonce ma dissidence et mets mon cou sous le sabre le plus idiot. Je n'avais pas de perroquet, pas d'anges, un vieux livre retranscrit sur des omoplates d'animaux et une longue histoire qui fait le tour de l'île, l'enferme de toutes parts et la coupe du reste des terres mieux que les flots. Cela vous va, comme biographie ? De toutes les façons, les Arabes se ressemblent tous à vos yeux, au point que leur vie est déjà unique : elle va de la source au chameau, du chameau à la frontière, puis de la frontière à Allah. L'empreinte du pied nu que Robinson a découverte sur son île, c'est sur mon propre visage que je la retrouve aujourd'hui. La belle farce des origines pour des gens qui tournent en rond avant même de naître !

Qui était vraiment Dieu pour moi, l'Arabe? Une terrible histoire que mes pères m'ont racontée et que je dois raconter à mes fils et qui se résume à ceci : nous sommes la dernière race à qui le Divin a parlé avant de se taire à jamais et nous avons été chargés de l'enseigner au reste de l'humanité. Dans cette histoire, il y a une erreur pourtant que nous n'arrivons pas à comprendre car nous avons fini, impuissants, vaincus et dispersés. Nous avons fait le chemin inverse des juifs : nous avons quitté la Terre promise, parcouru le désert, notre propre Sinaï, et nous avons fini en servilité sous nos pharaons. Le pire étant que le meilleur d'entre nous a lui-même pris le chemin de l'enfance, s'est réfugié dans un berceau d'osier et n'en finit pas de remonter le cours des eaux et du temps, rêvant d'un plus profond enfouissement.

Le monde du Vendredi arabe n'est pas une formidable interrogation, ni un livre à déchiffrer en décomposant toutes les langues, ni une épreuve avant la rencontre avec Dieu : c'est un gigantesque incendie de tous les éléments, de tous les règnes, de toutes les matières, allumé par quelqu'un qui avait peut-être besoin de signaler sa solitude, son naufrage ou son espoir d'être secouru et dont on ne peut plus voir la trace parce qu'il est peut-être parti, mort ou déjà trop loin.

Le monde est une île, ou peut-être Dieu lui-même, un dieu immensément vide, creux, habité par l'homme, seule trace de vie dans cette immense carcasse flamboyante et aveugle. J'en arrivais parfois à m'expliquer les obscures cosmogonies et les explications difficiles d'un dieu qui aurait créé le monde parce qu'il était un trésor inconnu et qu'il devait d'abord sortir de la cécité avant d'aboutir à lui-même comme lumière.

La vérité est aussi que je ne peux rien expliquer : chaque fois que je veux réfléchir sur le monde qui est sous mes yeux, à portée de main, ce sont dix mille histoires et un milliard d'explications qui viennent ternir l'énigme, en contaminer le spectaculaire mutisme et élever, entre moi et ce présent qui m'accompagne puis me survit, un écran de langues qui gâchent tout. Il m'est arrivé une seule fois, sur cette île, de connaître une sorte d'extase en réfléchissant aux noms des choses et aux choses elles-mêmes, par delà ces sonorités qui les désignent et nous en détournent : l'arbre là-bas n'était en vérité pas un arbre mais un mystère, digne de capturer toute une vie de contemplation.

Un jour, en route vers une ville de l'intérieur du pays, penché sur la vitre du bus, regardant les champs, je connus, d'un seul coup, un ravissement qui me coupa le souffle : je ne sais comment j'y arrivai, mais je compris que le monde n'était pas une vieille histoire, plutôt quelque chose qui se composait sans cesse sous mes yeux, avec le même mystère qu'au commencement, et que j'étais le contemporain, endormi, d'un accouchement inexplicable.

Ce fut la seule fois où je connus l'abolition du temps, sa suspension magique et une terrifiante possibilité d'évanouissement par les sens. Pendant les quelques secondes que dura cette certitude nue, chaque mouvement, le bruit des feuilles, la cigogne dans les airs qui dilatait le ciel, tout m'atteignit comme un feu transparent et j'en ressentis au plus profond de moi-même, physiquement, le mouvement, le balancement, le souffle et le cycle, le poids et la finesse et même la chaleur et le goût. Je ne me rappelle pas très bien ce qui me sauva de cette étreinte qui déjà me coupait le souffle. Ou bien si : peut-être l'impression qu'au bout de cette expérience je risquais tout simplement l'asphyxie. Cette expérience ne se renouvela jamais par la suite et j'ai eu beau reprendre le même chemin de réflexion, je ne suis pas arrivé à retrouver cette formidable évidence qui nous crève les yeux et nous rend aveugles et sourds. Ce fut l'unique fois où l'île de Vendredi offrit à voir tout un continent derrière elle.

L'histoire peut se terminer sur le spectacle d'un Arabe sauvage, assis sur le sable, regardant la mer, propriétaire d'une île qui ne lui sert à rien. Une sorte de Hay Ibn Yakdane, dont le but n'est ni le pain et les outils comme Robinson, ni l'illumination ou la démonstration comme Avicenne. Seulement la Liberté, celle de choisir.